昨日遺書

潘年英 著

爾雅出版社印行

困頓之愛

——序《昨日遺書》

隱地

這是一本不矯飾的書，一個極為樸素原始的長篇小說。

小說的背景是八〇年代過度到九〇年代的大陸北方邊緣地帶，一個在類似社科院社會研究部門擔任閒職的所謂知識分子，上級要他和同事小周到婦教所，調查妓女衍生出來的各種社會問題。小說主人翁「我」，時年二十五歲，正是血氣方剛，性慾衝動的年紀，他認識了妓女林紅，並且很快的就和她發生了性關係，從此前後糾纏四年，這部小說，就是寫「我」內心的掙扎、矛盾以及透過「我」的自省，把複雜的人性，像剝洋蔥般的，一一剖析於讀者眼前。

作者潘年英創造的「我」，一方面是一個有夢想也有崇高精神追求的知識分子，但就像絕大多數生活在八〇年代中國大陸封閉年代裏的社會青年，有其共同的苦悶，他們普遍來自窮困的農村，想要出人頭地，但機會渺茫，質樸憨厚的本性，很快就污染上了都市人的貪

慾，也無法閃躲色情陷阱，《昨日遺書》中的「我」，在家鄉已有一次婚姻，他太太的名字叫婭，但男方嫌女方有性冷感，性生活不協調，很快就離婚了，之後他又遇到兩個女人——雯和真（范書真），都因有所顧忌，談的都是沒有結果的愛情。至於林紅，他和她的結合，註定是個悲劇，因為他們並非是愛的結合——認識林紅那天起，「我」就說得坦白：「……從一開始就並不愛林紅，我爬到她肚子上去，只不過出於一種生理需要罷了……」但林紅全身充滿性愛魅力，在性方面徹徹底底的令他滿足，他們彷佛跌入性的樂園，每一次親密之後，倆人就想結為夫妻。

小說共分五章，全書結構奇特，讀者似乎要從後往前看，更容易瞭解故事和細節。第五章的「結局或開始」，其實就是小說的序曲。

第四章的「昨日重現」，寫「我」奉長官李所長之命，要他和小周一同前往婦教所，瞭解一下當前地方上有關女性犯罪問題的各種實際情況，調查時間前後一周，回來後要寫一個詳細報告。在這一章裏，小說人物一一登場，從婦教所的周所長，幾位重要幹部，如楊幹和陳幹，還有假公安老趙和真公安李副所長，以及妓女鍾阿玲、葉梅、姚小佩、楊麗麗、吳艷萍、聶英、董小香、顏如月、陳艷如、林紅……隨著人物出現，小說情節也逐漸推展……

第三章「傷心城市」敘述「我」和林紅相識經過以及連續幾場驚心動魄的熾熱性愛而動了結婚念頭，「我」甚至想把林紅帶回鄉下老家拜見父母，並在家裏過一個快快樂樂的年，林紅也高興自己從此可以從良，節外生枝的是「我」和林紅的這番想法，卻引起林紅那夥妓女朋友們的群起反對，楊麗麗對「我」說：「呃，我不懷疑現在你對林紅有感覺，這點我信，我見得多了，跟我睡覺的男人，哪個不是說愛我愛得要命，哪個不是發誓非我不娶，結果怎麼樣呢？」

楊麗麗繼續發威：「你是不可能跟林紅結婚的，這一點你自己心裡也清楚，呃，就算你結了，用不了幾個月，也要離，你信不信……林紅也是吃了這麼多虧，居然還這麼犯傻……」楊麗麗轉頭對林紅說：「妳想嫁給他，是啊，不錯，他各方面都不錯，我想床上工夫一定更不錯，但他是什麼人？妳明白嗎？他是記者，是科學家，是政府部門的職員，有頭有臉，妳不想想，如果妳是他，妳會真心愛一個妓女嗎？」

問題的關鍵還不在林紅是否犯傻，當楊麗麗一夥妓女紛紛離去後，輪到林紅走近「我」，她單刀直入的逼問「我」：「你真的愛我嗎？是真的嗎？」」，我們偉大的男主角聽後頹然倒在床上，連看著林紅的臉都不敢，只輕聲地說：「我不知道，別問我。」這樣的回答，當然換來的是林紅的嗚咽，那一夜，「我」只聽到林紅的哭聲。

哭儘管哭，女人到底心軟（但女人心一旦硬起來，又幾乎可以把小說裡的「我」整得死

去活來），林紅仍然跟著男主角回到鄉下老家過年。

第二章「鄉村之旅」，寫男女主角千里迢迢先坐火車到達K市，接著轉汽車到了T縣，再從T縣到他老家，還得走四十多公里的公路和十多公里的山路，一路上有愛的歡樂，但各種紛擾也層出不窮。

終於千辛萬苦到了老家，和家人團聚後，兩人仍然為各種原因吵鬧不休，其間不時穿插兩人性歡愛的露骨描繪，可謂痛快淋漓，但只要離開床，仍不敵現實面的衝突，有一次為了一件小事，兩人又鬥起嘴來，鬥嘴說不出好話，當林紅聽到「我」說她是婊子，林紅大怒，「我」還想和她講些做人的道理，林紅說：「你別給我講大道理，大道理我比你還懂，比你還會講，說來說去，這些都是廢話，實際上我們的分歧在哪裡？在於你是個有教養的知識分子，而我是個沒教養的娼妓，你說是不是？你別在我面前演戲了，回城之後我們好好商量一下分手的事吧。」

知識分子真的有教養嗎？比娼妓高尚嗎？

我們來看男主角聽到林紅提出分手之後他的想法和心態：

也好、也好，我想，我當初或許就是只想借她那東西用一下，現在用完了，不想再玩

了，物歸原主，就退還給她，好好好，回去分手。回去一定跟她分手。去她媽的吧，這個無知的娼婦！

但當晚回到家跟林紅上床的時候，我又不這麼想了，我想為什麼要分手呢？就這麼幹下去有什麼不好呢？

男主角性格的自私和卑劣，全部在這一段自白中暴露無遺。《昨日遺書》的價值也在此展現。這本書，作者並未美化知識分子，也未為男主角塗脂抹粉。男性貪婪醜陋的一面，作者並不放過，也是因為這種特質，使得讀者也更了悟人性。

第一章「接近死亡」寫男主角「我」和林紅之間的糾纏不清。前後四年，兩個人時而歡愛，時而相互折磨，甚至鬧到最後轉愛成恨，恨到男主角下定決心要先殺死林紅，然後再臥軌自殺。愛情的不理性在此發揮到了極致。小說主人公的好友文新就曾勸過他：「像我們這樣死要面子的知識分子，千萬別去招惹那種死不要面子的女人。一旦惹上，則必遭殃。」

並非林紅死不要臉。也怪我們的男主角性格反覆不定，一會兒說要娶她，一會兒又後悔了，而且罵起髒話來，完全不像一個知識分子，一再傷人，讓人忍無可忍，甚至他完全不懂憐香惜玉，就算林紅有些行為不檢點，他也不可以打女人。打一個可憐的妓女，更讓人不能

原諒。他卻一個接一個的巴掌摑打林紅，還用拳頭重擊直到林紅嚎叫不已，連他母親都看不下去忍不住罵他：「都是你，都是你，這麼孽障，都是你做出來的好事，你不要狂，她死了，你也活不了，要帶來給我們看，你就好好待人家，你不要帶來這樣作孽……」

整本《昨日遺書》，主線是男主角「我」和林紅之間的一段孽緣，還有許多支線，寫的是男主角和其他幾位妓女之間的糾糾葛葛，其中和陳艷如的一段故事（我猜，在本書男主角的心裡真正偷戀著的是陳艷如），有些無頭無尾，卻也佔了甚多篇幅，只因為陳艷如向他借了三百元人民幣未還，男主角又是恨又是怨，還當街不停地打她耳光，讓人覺得他幾乎像是有暴力傾向的人，幸虧他也有自知之明，經常自我嘲弄，他說：「我想我一生最大的弱點就是隨意施捨同情心，我彷彿天生喜好扮演救世主的角色，但事實上我狗屁不如，而結果往往變成笑話，我不但救不了別人，更害了自己。」

小說反映人生，也反映時代。透過《昨日遺書》，我們瞭解到八〇年代末期到九〇年代封閉的中國大陸當時的人心和社會現象，當人們精神苦悶，尋不到人生出路，也看不出活著的希望，就必定追尋形而下的感官刺激，以性的冒險和犯罪來彌補內心的空虛。

一個美好的社會，女性必定有其生活自尊，也不必為了金錢，說謊或欺騙男人，更不必

出賣肉體與靈魂。至於男人可以用正常的方式追求愛和性的滿足，而非以權力暴力或金錢控制女人。

好的小說，讓人省思，《昨日遺書》是一本時代之書，也是讓我們省思的一部長篇小說。

《昨日遺書》也是一本豐富的小說，可以從各個角度、許多方面賞析，除了小說結構奇特，居然還可倒著閱讀。它更像一個圓，可以旋轉著四處瀏覽。讀者如果循序漸進，從頭到尾閱讀感覺又不一樣。或者隨意挑出某一章節先讀，一樣也能讀出趣味。

當然，《昨日遺書》最凸出之處，還在於它是一本性愛之書，寫性愛的小說多矣，但這本小說不做作，它寫得自然，讓人不自覺跌進人性潛隱著的世界裡。

愛是性的動力，性是愛的光源，或者也可反過來說：性是愛的動力，愛是性的光源。再換一種說法，愛是性的氣味，性是愛的味道。前者是嗅覺，後者是味覺，合在一起就是感覺。我們常說對某一個人有感覺，表示愛情之帆已啟動，然而性愛的滋味，真正好吃不好吃，必須嘗試之後，當事人心中才有答案，也就是說，性的魔力有助於愛的燃燒。當然愛與性，有些像雞與蛋，到底是先有雞還是先有蛋，人類研究了好多世紀仍然說不清楚。男女關係之複雜，性與愛之間的迷團，永遠真相之後還有真相，所以一對男女談愛說情，或行性動慾，非當事者永遠是霧裡看花，因為真正的真相，常常連當事人也寧願一輩子藏在心底，

裡去了。

這也就是為何有人說，人世間真正的奧祕，或說真相之後九彎十八柺的實情，都被帶進棺材

《昨日遺書》中有大量不自覺的性的野風吹刮，粗野的北國男人原性之愛。潘年英寫得粗俗，幾乎原汁原味把北方中國男子野地裡的性愛毫不掩飾的呈現出來，粗話髒話說的人不自覺，讀的人感覺震撼，但鄉野間人（許多外國人亦如此吧？）說話直來直往，書中不斷出現的「日」可能就是「肏」的土話，異國異鄉，都有用動物或生殖器罵人的粗話，這種未經文明洗禮的原人，就算部分接觸書本之後成了所謂的知識分子，說起話來，從潛意識爆發出來的，仍是童年時候養成的最初啟蒙語言。有時我們說都市人虛假。因為都市人是文明了的獸，經過包裝之後的再三包裝，人言人語說到最後真的人五人六起來。我們雖然批判《昨日遺書》中的「我」，他的暴力暴行，口中髒話粗話不斷，而這個中國鄉下人——後來成了讀書人，成了所謂都市裡的知識分子，他卻具有代表性，是一種原型，潘年英在這裡展現了他作為小說家的意義，透過這部小說，潘年英完成了一個小說家應負起的使命，也等於潘年英圓了自己的夢，圓了成為一個小說家的夢。

昨日遺書

潘年英

第一章
接近死亡

林紅父親的身體是愈來愈不行了，在家裏他老是哼哼，哼得一家人都心煩，問他哪兒不舒服，他也說不出。三月裏的一天，我和林紅把他送到工人醫院，經檢查，原來肝臟出了問題，是肝硬化。他住了院，我和林紅每天到醫院看他一次。

他總是不大喜歡說話，但偶爾一開口，又叫人驚訝不已，你才覺得他一直是思考著的。

「林紅結婚我就放心了，林紅不結婚我閉不上眼。」他有時會突然來這麼一句。

要是林紅聽見，會罵他：

「你腦殼昏了，你快睡覺吧。」

有時他看見我，就盯著我看，然後說：

「林紅脾氣有時候不太好，我們小時候寵她慣了，你要原諒她一點。」

我當然只有點頭稱是。

終於有一天，他直截了當對我說：

「五一節你們結婚吧，不要擺排場，也不要買什麼家具了，請一兩桌人就可以，我沒有

別的東西送你們，過兩天我去給你們買一個大衣櫃吧。」

我其實無心跟林紅結婚，但林紅卻懷上我的孩子了，這不能不說是個問題。

怎麼辦？怎麼辦？怎麼辦？

我焦頭爛額，卻始終理不出個頭緒。

林紅最初得知自己懷了孕後心中暗喜，她想這可能會使我改變對她的態度，說不定我們之間的婚姻關係會成為事實。但她很快發現了我的憂愁和苦惱。她心裏似乎也明白我們的某種結局了。

在夜裡，林紅又開始唱歌，那是我在婦教所裡聽到楊麗麗所唱的囚歌：

你看山那邊那棵榕樹下
那是可憐天下父母心
有一位老人
邊走邊哭
邊用手巾擦眼睛
夢裡夢見孩兒的笑臉
醒來不見孩兒的面

只有淚水滾滾下流
那是母親的眼淚
人說時間太無情
你聽山那邊傳來呼喚聲
陣陣聲聲叫人兒心碎
多少個寒冷的夜晚裡
有多少母親在流淚
老人歷盡千辛萬苦
來到這裡看望親人
一堵高牆隔在牆外
可憐牆外的老人

林紅邊唱邊哭，最後竟泣不成聲。

我心亂如麻，不知道何去何從。

一天，我和林紅到醫院看望她父親，她父親又一次對我說：「別的東西以後再置，現在先把家安下來再說。」

林紅大聲罵他：「大白天的，你說什麼夢話呀。」

我很尷尬。我不說話，默默走出醫院，林紅跟出來，問我想些什麼？我說什麼也沒想。

我和林紅毫無目的地在街上走，走呀走，後來走到郵電大樓，到她和我第一次約會的地方，我想人啊，真不知該怎樣來理解人，時間僅隔數日，但心境卻如此不同，那時見到林紅我好高興，而現在卻恨不得她死掉，這是為什麼呢？

後來我們到紅橋賓館找小七妹玩，小七妹那天正好休息，我們便一道去月光舞廳跳舞。

我對跳舞毫無興趣。但由於無家可歸只得隨波逐流。

月光舞廳依然老樣子，人流如織，生意興隆。想到那次在這裡痛打陳艷如的情景，我不由得有些後悔和慚愧。心裡想著說不定還會在這裡遇上她，果然就見她正和幾個女子在一旁說話。我心裡嚇了一跳。

我暗示林紅，說陳艷如在那邊。林紅順著我所指的方向看過去，不由得叫了起來：

「天啊！今天怎會這麼巧，她們幾個也來了。」

說著林紅拉著小七妹就朝她們奔去了。

她們互相擁抱親熱，然後看見陳艷如彷彿問了她一句什麼，她們便回頭朝我這邊望，我只好起身向她們走去。

「你好哇，好久不見。」那群女子都衝我笑、打招呼。我覺得她們都很面熟，可以肯定

都是從婦教所出來的，但一時叫不出她們的名字。

「吳艷萍，還記得吧。」林紅給我逐一介紹。

「聶英。」她指誰我就衝誰微笑點頭。

「董小香。」

「寧小琴。」

「寧小琴？」我在那長得較乖巧的女子臉上停下來，說：「你媽就是邢正仙吧，是不是？」

「看看，貴人多忘事啊。」寧小琴笑道。

「士別三日，當刮目相看啊，你們，出來後，一個個都變得美麗了。」

「果然是寫文章的人，真會誇人。」大夥道。

「妳媽呢？她還好？」我問寧小琴。

「退休回家了。」

「退休了？」我不明其義。

幾個女子一起笑了起來。

「她在其位也不能謀其政了，只好讓賢，把工作重擔交給年輕一代了。」大夥又笑。

「在裡面妳們可沒這麼活潑啊。」我說。

「在人矮檐下，誰敢不低頭，那是被人家拿住短處了麼，還活什麼潑，無話可說啦。」

小琴笑道。

我突然想起了什麼，問：「噫，陳艷如呢？剛剛她不也在這裡嗎？怎不見了？」

大夥跟著「噫」了一聲，四處張望，不見，都說：「怪了，真怪了，是不是搞到生意了？」

「不會，」有人說，「剛剛還在的。」

我又問她們何以今天來得這麼整齊？是不是事先約好的？

「沒有，沒有，我們只是在一起上班，工作。」寧小琴又說。

大夥點頭，也都同意她的說法。

小琴為我點菸，回頭對大夥作了個鬼臉：「笑什麼笑，有什麼好笑的麼，就知道笑。」

「你這人，還真沒想到，很幽默啊。」我說。

「我不懂，」寧小琴道，「我知道大麥、小麥、蕎麥、燕麥，沒見過什麼『幽默（麥）』。」

我見她們依然重操舊業，便勸她們小心點，別這麼擠成一堆，萬一叫公安逮住，一逮就全被逮進去了。

「那有什麼不好，」小琴說，「那我們不就成『黃捕（埔）（指公安部門的掃黃大搜捕

行動）二期學生了。」

大夥又笑。

寧小琴轉臉對林紅道：「嗳，同學，妳手腳麻利哩，妳要慢一步，他就是我的了。」

「嗳，什麼話呀，」林紅說，「妳以為我是那種從一而終的人嗎，妳錯了，這說明妳太不了解我，告訴你，他現在還是童子，妳真喜歡他呀，我讓給妳，還來得及。」

「真的？」寧小琴笑道。

「嘿，這有什麼真的假的，妳要拿去用就是，同學之間，還不好說話？」

「好，那我就不客氣了。」說著，寧小琴湊近我的耳朵說：「嗳，林紅要把你賣了，賣給大夥當公共財產，你沒意見吧？」

「我正求之不得。」我說。

「那好，這就說定了，今天晚上下班後，到董小香家集合，我們就聯合表演一個讓人都開心的節目，大家說好不好？」

「好！」大夥哄起來。許多舞客都往我們這邊看。

寧小琴又對大夥說：「噓，小聲點，叫老趙聽見了不好，到時就演不成節目了。」

「老趙？老趙也在這裡？」我一聽是老趙，心裡就有些不自在了。

寧小琴指向一個暗處裡的火車座，說：「老趙他們在那邊。」

又說：「我們今天可真正是來工作的，有任務，沒騙你。」

我問什麼任務？她說不能說。我問其他幾位，也都一樣的答案。

過了一會，寧小琴對我附耳道：「我告訴你，可千萬保密啊。」

「絶對！」我說。

寧小琴說：「老趙叫我們來釣魚的，釣魚，你懂不懂？」

我點點頭，知道大約是叫她們出來引誘嫖客的意思。

「說好了，對折。」小琴做了一個手勢。「老趙他們也不容易，上面有任務，說每人每天的罰款收入不能少於這個數。」她又做了一個手勢，「這個數字不小哇，他為難了，就來找我們幫忙，說只要事情辦成了，罰款的金額對折。」

「噢，這可是互助互利噢。」我說。嘴上這樣說，心裡卻很有些不快，覺得這老趙心好毒，我原以為他只是喜歡佔佔便宜而已，沒想到他的手段這麼狠，彷彿這些妓女都是他養著的。

我正想向寧小琴再打聽點別的情況，恰好有人來請她跳舞，她推說不會跳，但那人根本沒有理會她說什麼，一隻手伸過來硬是把她拽走了，接著他們就搖搖擺擺的滑進了舞池，我回頭看身邊的林紅還在跟另外幾個妓女說笑，便站起身來朝舞廳裡的火車座走去，儘管我對老趙這人沒好感，但在這種場合恐怕不能不主動打個招呼。

沒想到火車座裡老趙正和一個女人抱在一起，那女人看到我，便推開老趙衝我笑道：

「嘿，天下咋會這樣窄？」

那女人竟是楊麗麗。

老趙見是我，也吃了一驚，說：「坐，坐。」

我坐在他們對面，微笑看著他們。「好嗎？這一向？」

「馬馬虎虎。」老趙解釋說：「呃，你可別見怪，我們這是工作。」

我點點頭，表示明白。「那我不打擾了，」我站起來要走。

老趙說：「呃，沒事，坐會兒，坐會兒，我們也是半年多不見了吧？」

「恐怕有了。」我說。又轉向楊麗麗，問：「她們呢？怎不見葉梅她們？」

侍者走過來問我要點什麼？我說不用，我馬上走。老趙說走什麼走，既然難得見一回，就好好聊會兒，他揮手對侍者說，一杯咖啡。

「葉梅呀，」楊麗麗笑道，「葉梅現在人家可快活死啦。」她朝我吹口煙，「她到香港去了。」

「她一個人去？」我問。

「嗨，你這個人，問得才稀奇，她不一個人去還能幾個人去呀，真是。」

「不，我是說她沒跟她那位一起去？」

「她哪位？我可不懂。」

侍者端來咖啡。我剛要掏錢，老趙說不用了，一塊記在他的帳上。我說這怎麼行，堅持要付，老趙黑下他的臉來說，你這就沒把我當朋友了。見他這麼一說，我也不好堅持了。侍者一打岔，我和楊麗麗的話題便沒繼續下去。倒是老趙，反過來問我：「怎麼樣？聽說你和林紅要結婚了？那可恭喜你呀，林紅這姑娘不錯，真不錯，你好眼力唷，對了，打算什麼時候請我們喝喜酒？」

我說還早，八字還沒一撇。

「這可不行唷。」老趙激動地說，「老兄，你可別拿我們林紅姑娘尋開心嘔，你要這樣做，到時候我可不饒你，也別怪我老趙不講情面唷。」

我剛要開口說點什麼，突然又不想說了。面對這樣一個人，我能說什麼呢？看著他自鳴得意的樣子，我直感到噁心。

老趙又問我小周最近怎麼樣？在忙些什麼？我說不知道。老趙不信任地看著我，說：「不知道？你和他不是一個單位的嗎？」我說是同一個單位的，但單位平時不上班，也難得見他一回，真的不知道他最近的情況。

楊麗麗在一旁笑。

我看了楊麗麗一眼說：

「我還有點事，先走了，你們玩。」

「慢走！」老趙頭也不抬地說。

我回到舞廳裡找林紅她們，卻是一個人影也不見，我不明白她們去了哪裡？彷彿覺得我作了一場夢。走出舞廳，獨自在大街上晃盪。不知不覺晃到了家——我那可憐的辦公室。大家都下班回家了，辦公室裡空無一人。我突然感到異常的空虛和絕望，我不知道該怎樣才能結束這一切。無聊、蒼白、乏味、單調、恐懼，這就是我目前生活的處境。我厭惡這種處境。想擺脫這種處境，但找不到門路和方法。

突然意識到肚子很餓，這才想起一天什麼也沒吃。我插上電爐架上銻鍋準備煮麵，但水還沒燒滾便躺在長沙發上睡著了。

2

說不清是什麼原因使得我對寫作《風塵》投入了這麼大的熱情，我没日没夜地寫，發瘋一般的只顧著寫。我忘了林紅，忘了城市，忘了世界，心中只有一個意念，那就是寫。

事實上，《風塵》是一部嚴肅的社會學著作，雖然許多人並不這樣看待，同時指責我在

書中過多不健康的性關係的描寫，但我始終認為書中所謂不健康的文字，恰恰是我對人類本質問題的深沉思考和終極關懷，這也是我自認為最得意最成功的部分。許多年之後，當我重新閱讀這些文字，我仍堅持自己的觀點。

平時間我是一個很懶惰的人，但一當進入寫作狀態卻非常勤奮玩命。我把工資的四分之一用來買麵條和豬油，以及一點辣椒，這樣我就可以無後顧之憂了，餓了就煮麵吃，吃飽了就寫。一邊寫作，一邊還拚命抽菸，讓那滾滾的濃煙薰跑別的同事，讓他們在辦公室裡待不下去，然後騰出一份清靜和空間給我。

我發覺人一當進入緊張的工作狀態，性慾也會大減。在那段日子裡，我的老二甚至連翹都沒翹一下，這也真是奇怪。你幹麼不想女人了呢？有時我會這樣問。

由於構思日久，寫作很順利，幾乎日寫一萬字，有時甚至達到兩萬字，不到半個月，二十多萬字的書稿就完成了。

也真是無巧不成書，就在我寫完書稿之後的第二個晚上，出版社的一位朋友到我家來玩，那是一個結交多年的老朋友了。

「最近在忙什麼啊，一直沒見老兄的面，都幹些什麼去了？」

我說最近發生在我身上的兩件大事，一是睡了個女人，二是寫了本書。

「寫了本書？什麼書，拿來看看。」他很感興趣地說。

我說剛寫完，還正想找你幫忙呢，沒想到你卻主動上門來了。

我把書稿拿給他看。他只翻了翻目錄和掃射地看了〈引子〉，就說：「噯，老兄，這本書，我包給你出了。」

我想他媽的天底下居然會有這麼好的事，實在也是天可憐見罷。我就說：

「出書這玩意我不太懂，這事就全權拜託你了。」

老友說沒問題。簡單幾句話，就把書稿帶走了。他走了許久，才漸漸警覺我做成了一件事，心頭慢慢湧出一陣歡喜。

我決定把這消息告訴林紅，她畢竟是我唯一的朋友，我猜她聽了準會高興。遺憾的是我並沒找到林紅，她家，她的朋友家，她朋友的朋友的朋友的家，都找遍了，也沒見她影子，這才想起，她肚子裡還懷著我的孩子哩。

林紅的父親已出院在家調養，每次見到我總問：

「林紅呢？她怎不回家呢？」

林紅的母親也很為這事著急，她一再追問我是不是和林紅吵架了？我仔細想想，覺得之前我和林紅沒有吵啊。我說：

「沒有，絕對沒有吵。」

但我想不起我和林紅最後一次見面是什麼時候了，甚至連她的面孔也記得不太清楚了。

我想這事真怪了，就為了寫那麼一本書，把什麼都忘了，時間也才相隔不到二十天啊，真他媽見鬼了。

我到紅橋賓館去找小七妹，去了幾次都不見她上班，後來一打聽，才知她早在一星期前被公安局抓走了。

「為什麼？」我問。

「為什麼？」人說：「賣屄唄，還能為什麼呢？」

我心裡一沉，擔心林紅會不會也被一起抓了，但找不到人問，只好乾著急。

我終日在街頭飄遊，凡是人多的地方都去望一眼，希望有一天林紅會奇蹟般出現在我面前，我越來越發現自己離不開她了，這個天生的騙子，她騙走了我太多的東西，包括靈魂。

一天，我在一家商店門口遇見了小周，使我萬萬料想不到的是，他現在居然是一家時裝店的老闆了。原來他一直在搞生意，怪不得這一向都沒見他上班。我問他生意如何？

「馬馬虎虎，」他說：「一個月也就兩三千，比上班拿乾工資強一點而已。」

我又向他打聽楊麗麗、林紅等人的近況，他說他不知道，他也很久沒見她們了。他又問我是不是真的想跟林紅結婚？我說是的。

「我不明白。」他說。

「是啊，我也不明白。」我說。

「你難道還想離第二次婚？」

「沒準。」

「你真是怪人。」

我笑笑，跟他告辭，祝他發財。他苦著臉，對我說：「嗳，老兄，我看你最近心情好像不太好，有什麼事需要幫忙的，你儘管說一聲。」

我點頭，說有事肯定會找他。

夜幕降臨，城市的燈光輝煌，而我依然穿行於大街小巷，到處尋訪我的林紅。

林紅林紅妳在哪裡？告訴我妳現在何處？我要找到妳，我要操妳，我要讓妳來擦擦我這把生鏽的老槍。

我們在黑暗的街道巡行，喔
懷抱著一種流浪的心情，喔
午夜的都市就像那月圓的叢林
我們在黑暗的街道巡行，喔……

滿街的音樂，滿街都是這種垂死掙扎的聲音。讓我在風裡踽踽獨行，讓我在黑夜踽踽獨

行。在寒冷的星空下，在生命的荒原裡，帶著淒涼的背影，獨自走在這無盡的期待裡。

哦哦，走吧。

走哇走哇，一個人在路上，獨自思量，獨自徬徨，不再嚮往，啊啊，一個人，在路上，一個人，一個人，一個人……

一個人走回家，又差不多是子夜了。守門的老頭笑著問我：

「嗳，這次沒帶人來？」

我想了想，笑道：

「嗳，給你帶一個來，你要不要？」

老頭很尷尬地笑了，我大笑。

沒人能夠逃避性愛，沒人。我更不能。我不僅無法逃避，而且簡直渴望極了。但我始終弄不明白，為什麼那東西活生生擺在我面前，我很快會發膩，而一當十天半月沒有那東西，又覺得簡直活不下去。真他媽的叫人難以解釋。

那天晚上，我作沒作春夢已記不清了，但可以確信第二天早上醒來時發現遺了精。我已經很久沒這樣了，面對那白色的液體簡直慚愧無比。

不行，不行。我不能離開林紅，我得重新找回我的林紅。林紅啊，我是多麼喜歡妳的那個水草豐美的洞穴啊。喂，妳在哪裡，別跟我躲迷藏了，出來吧，我要和你大幹一場，我要

讓妳獲得最大的幸福和快樂。

女人的弱點是無法保守她們最後的秘密。林紅的母親經不住我一再的盤問，終於向我透露了林紅的去向。

「你去找鍾阿玲吧，她可能知道。」林紅的母親對我說。

有這句話，我心裡的石頭就落了地。

鍾阿玲住在水井巷，離紅岩村不很遠。我騎上自行車一路找過去，終於在一户簡陋的農舍前停下來。

輕輕敲著門，我不想在她們面前表露我的焦急和喜悅。

開門的正是鍾阿玲。見到我，臉上立即露出了驚訝之色，但旋即就坦然了。說：

「你不錯麼，居然找到這裡來了。」

我不理會她，徑直走進裡面，果然就見著了林紅，還有楊麗麗和寧小琴，另外還有兩個男人。楊麗麗、寧小琴和兩個男的在打麻將，林紅和鍾阿玲在看電視，放的是錄相，大約是香港的三級片，我只聽見一片女人的哭喊，畫面上是一個強盜般的男人正撕開一個弱女子的衣服。

「都給我舉起手來，靠著牆，別動，我是市公安局緝賭隊的，都給我老實點。」

兩個男的楞了一下。

楊麗麗回頭看了我一眼說：「草包！」

寧小琴說：「你那鼻子還靈哪噢，林紅躲在這裡你也嗅出來了，真跟市局的警犬差不多了。」

我走過去給兩個男的發菸，說：

「開個玩笑，別往心裡去。」

「來找林紅？」兩個男的問我。

「不好意思，打擾了，」我笑著給他們點了菸，然後擺擺手，示意他們繼續玩，我朝著坐在裡屋的林紅走過去。

林紅順手給我遞過一張凳子，但眼睛卻離不開電視，電視裡那弱女子的衣服已被扒個精光了，惡徒眼看就要得手，這時惡徒背後出現了一位英雄，英雄騰空飛起，如一隻雄鷹從天而降，惡徒倒地，兩人展開激戰……

「妳父親又犯病了，妳媽叫我來喊妳回家。」我對林紅說。

林紅不說話，專心看電視。

我對正在給我沏茶的鍾阿玲說：「別倒了，別倒了，我和林紅馬上要走，她父親病得厲害，她媽叫我來喊她回家。」

鍾阿玲笑道：「真的？」

「嘿，我騙你幹麼，這老人生病的事也能隨便編來騙人嗎？」

林紅這才回頭一笑，說：「看電視吧，別煩人了，我中午才從家裡來的。」

大夥都笑了，我無話可說。

良久，我才對林紅說：

「幹麼躲我？」

林紅緘口不言。

「我真不明白，」我一臉傷心痛苦地說：「我到底哪點對不住妳啦，我又哪裡得罪妳了，我……我……」

「噯，我什麼我，看看這個，你就明白啦。」鍾阿玲遞給我一張紙條。

林紅轉身拚命要搶過這張紙條，我眼明手快抓在手上。躲過林紅，打開一看，原來是一張人流手術證明書。

我一下子軟了，兩隻腳不自覺地矮了下來。

「林紅，妳妳妳妳這是幹什麼妳，這麼大的事，妳跟誰商量了？妳問過我了沒有妳？唵？」我表現出非常激動的樣子。

「別裝了，」鍾阿玲笑道：「你要有點良心，現在就去給林紅買隻老母雞回來，給她補補身子，這一次，她的血可流得不少啊。」

「買個雞巴！」我激動地跳起來，指著林紅說：「妳，妳有什麼權利這樣處理，咹？妳說，誰給了妳這個權利？」

我没想到林紅會在這時突然撲向我，看準我的臉猛地抽了一巴掌，我楞了一下，還没反應過來，她抓起一只凳子就要砸我，我一低頭凳子就砸在旁邊的茶几上，幾只瓷杯立即粉碎。林紅哭了起來，大罵我没良心，狗日的到這時候還來裝君子。鍾阿玲楊麗麗寧小琴及兩個男人都過來勸架，她們抱住林紅，把林紅往另外一間屋子推。

兩個男的對我說：「你少說她幾句，她最近心情一直不太好，有什麼話，以後再說吧。」

不一會兒楊麗麗從屋裡出來，對我說：

「噯，如果你是個聰明人，我勸你以後不要再來打擾她了，你們的恩恩怨怨，到此算了，如果你不聽我的忠告——記住，我這已是第二次忠告了——以後會出什麼狀況你自己負責。聽清楚我的話了嗎？」

我內心掠過一陣狂喜，我想他媽的我跟林紅這事就如此了結了，這正是我求之不得的啊。

我裝著悲憤欲絕的樣子說：

「好吧，我走，媽的，我走。」

我走出大門，一路狂笑的奔回家，心裡直喊：「妙啊！真妙！真他媽妙！」

我那在出版社工作的朋友姓黃，大家都叫他小黃。

一天，我正在所裡參加政治學習，學習《人民日報》社論，小黃給我打來電話，說我的書稿在他們出版社沒有通過終審，我心裡頓時涼了一大截，但他又說，他準備把書稿寄給北方一家出版社，那裡有他一位很好的朋友，問我同不同意。我拿著電話懶懶的說：

「好吧，就寄去試試運氣吧。」

他媽的，這年頭，什麼都不好混啊。我倒在辦公室的皮沙發上，聽所長唸社論。唸完了，李所長叫大夥討論，大夥論不起來，在下面各説各的私事。小周湊過來問我：

「噯，有一筆生意，你想不想幹？」

小周悄悄附耳對我說：

「搞舊服裝。」

我腦子裡立即浮現公安局放火焚燒舊服裝的電視畫面，我搖頭說：

「没意思。」

「那幹什麼有意思呢？」小周不解地問。

「幹什麼也沒意思。」我說。

過一會，小周又問：

「你和林紅的事，解決了？」

「早他媽解決了。」我頗感得意地說。

小周輕輕的在我的背上打了一拳說：

「真有你的。」

我問小周有沒有興趣寫書，如有，我便和他合作寫一本關於賣淫問題的書，書名就叫《肉體災難》。

小周說這個書名不錯，肯定能暢銷，但他目前對寫東西沒有一點興趣，他現在滿腦子全部是服裝和女人。

小周既這麼說，我也不便再說什麼了。同時他的冷漠也影響和沖淡了我的積極性，《肉體災難》最終根本沒有動筆。

學習結束後，李所長給我一份通知，是省打防辦寄來的，上面通知我於星期三下午兩點準時到市委宣傳部會議室開會，內容是共商打擊賣淫嫖娼之良策。

我心想打什麼打啃，打來打去是方便了像老趙老李這種人，所以這娼妓是不打還好一

點，越打卻越多，還不如乾脆全面開放算了。

心裡雖這麼想，嘴上卻絕對不敢說出來。但對開這樣的會確實已無興趣。我想不去也罷，就叫李所長通知小周去，小周說他更不想去，李所長就說，隨你們便吧，要真不想去，也就算了，通知上也沒叫我們一定要去。

到了星期三還是去了，我想開會總得管一頓飯，再怎麼說那伙食也比我吃食堂好，就去了。

來開會的有公安部門的，司法部門的，檢查機關的，還有省委、文化廳、婦聯、共青團、工商聯等好幾十家單位，而且從名單上看，除了我之外，來的都是各部門的頭頭，有幾個還是省委省政府的領導。

會議開始後，我看見大家都一個勁地拍巴掌，抬頭一看原來是省委顧委的主任來了，他儘管老態龍鍾，但看上去還算健康，他向大夥招手、微笑、示意。

他一落座，便說開這樣一個會很重要，也很及時，他說我們省有兩個第一，一是工農業總產值增長速度全國倒數第一，一是賣淫嫖妓增長速度全國順數第一。

「很光榮嘛，咹，」他微笑著四顧與會者，說：「兩個第一，一個倒數，一個順數，咹。」

下面的代表都交頭接耳的笑了起來。

「為什麼？」老顧委主任說：「誰能回答我，這是為什麼，咹？」

没人能回答他。一位穿公安制服的中年男子走過去，在他面前放了一大堆磁帶、錄相帶、撲克和書籍，然後附耳跟他説了些什麼。他把桌子上的這些東西逐一翻了翻後，說：「咹，這些東西，大家可以相互傳閱一下，看看這些都是些什麼烏七八糟的東西。」

於是那些東西開始在眾人手上互相傳閱，傳到我手上，都是些被收繳的淫穢書刊、錄相帶及撲克等。

我特別留心了一下書籍，主要有香港的《龍虎豹》、《藏春閣》，還有那些地下印刷廠印刷出來的《浪遊世界》、《浪遊驚魂》、《天下第一奇書》、《美女狂》、《淫蕩少女的自白》、《旱田雨露》等。

我之所以留心這些書籍，主要是曾聽林紅説過，她就是看了這些才失足的，其次我一直没機會見識這些書籍，現在我想瞭解到底黄到什麼程度，到底能給青少年男女帶來多大的刺激。

我隨意抽查了兩本，一本是《淫蕩少女的自白》、另一是《旱田雨露》，我按社會學隨機抽樣的調查方式，翻開其中幾頁，果然没有一頁不黄，而且黄的没有一點水準。

我接過傳來的《龍虎豹》、《藏春閣》等大量暴露女人私處的畫册並隨意翻了翻，可悲的老二已經高高翹起，為此我感到不好意思，我不知道别的男女看了這些淫穢宣傳品後會有

何反應，而我，竟經不住這些腐朽東西的誘惑。

心想難怪林紅看了這些書籍後會走向墮落了，要是我早些年就讀到這些東西，說不定也早成了強姦犯。

又一陣熱烈的掌聲響起，原來是那位老態龍鍾的顧委主任講完話了，站起來要先走一步，他說另外一個會議也還等他去講話。

老頭子走了之後大家又繼續開會、發言，一直到下午六點半鐘才散會。以為散會後代們會有一頓飯，結果沒有。我很失望。但轉念一想，今天來見識了這麼多東西，總算沒白來。

4

開會能否解決國家大事，我置疑，但確切不能解決我餓肚子的實際問題。我得回去吃飯，得去吃我那沒有任何佐料的麵條。

幸好還有麵條，除此之外，我還能奢求什麼呢？

當我回到辦公室時，守門的老頭塞給我一封信，他說是一個背駝耳聾的老人送來的，我心裡馬上猜到可能是林紅的父親。打開信，果然是他留的字。信很短，只有一句話：

請你務必抽時間到我家來一趟。

為什麼?我在心裡打了個巨大的問號。是林紅出了什麼事?還是有什麼事需要我幫忙?或者是商討我和林紅的事。

我猜不透，心裡頓時七上八下。

吃過麵條後我立即騎上自行車趕到紅岩村去。看到林紅爹媽，我問有什麼事?

「什麼事?」老頭說:「你還問我?你心裡不清楚?」

看來準是為了我和林紅的事了。心想這老頭，平時裝聾賣傻，不願多說一句話，但關鍵時刻頭腦卻清醒得很，說話也有板有眼。

「林伯，你不要生氣，有什麼事我們好好說，行嗎?」我佯裝笑臉道。

「你和林紅的事，就這樣算了?」老頭依然怨氣未消。

「林伯，這事……這事……」

我突然結結巴巴起來，有話卻不知從何說起。

「我知道，我女兒不好，但這個情況你是預先知道的呀，你知道了，還要騙她，騙到這一步，你卻一拍屁股走了，連我這裡你也不來打個招呼，你自己摸著良心說說，你這是幹的什麼事?」

他依舊坐在火爐邊上，吸著劣質的雪茄香菸，一邊吸，一邊咳嗽。

「林伯，情況……情況……好吧，你說你說，你先說吧。」我盡量裝著從容的樣子，但心裡早已咚咚直跳了。

「林紅過去的事情她沒有瞞你，你明知道她不配你，卻還要來玩弄她，你說，你說這是什麼行為？

「我耳朵不好，眼睛也不好，平時你們進進出出幹了些什麼我不知道，但今天她媽媽告訴我，說你和她分手了，不談了，你給我說說，這是怎麼回事？為什麼不談了？是她對不起你？還是我們對不住你？

「林紅媽媽還告訴我，說林紅為了你打了一個娃娃，這個情況也是今天上午她才告訴我的，一聽到這個消息，我心裡就痛，痛得很……

「我們一家人都沒文化，都是老實人，我們不會說，也不會寫，你有文化，有知識，是大學生，你就可以這樣來欺騙我們嗎？

「話，我就不多說了，我只希望你做出的事情要講點良心。」

事情看來很清楚了，他們需要錢，需要一點補償。

我想如果我有錢，問題就簡單多了。但遺憾的是我太窮，窮得連自己的温飽問題都難以解決。

而問題還不僅於此。我的悲哀在於我不敢正視自身的卑鄙內心，我當了婊子還想立牌坊，我不想讓人指著我的背脊說我是個沒良心的人，我更不想讓林紅的父母親說我和林紅戀愛一場就是為了佔便宜。

「我沒有拋棄她，是她不理我！」我大聲的說。和林紅父親說話讓我感到非常痛苦，我得大聲地吼，這就使得幾里之外的人們也能聽得清清楚楚。

我把和林紅分手的情況大致向他老人家做了個說明，林紅的母親在一旁幫我當翻譯。

當他終於明白了事情的「真相」後，她對林紅的母親吼道：

「妳去把她找來。我要打死她！」

我做出一付寬大慈悲的樣子，勸他別動氣，說林紅遲早會學好的，她現在年齡還輕，未經過世面，不懂得人生艱難，等她在外面栽了跟斗，她會回心轉意的。

兩位老人看來已經相信了我的話，所以留我吃飯，我說吃過了，仍勸說再吃一點，我推辭不下，還陪著老人喝了酒。三杯酒下肚，老人話多了起來，他說他們並不想高攀我，只是看我老實，又是鄉下人，且離過婚，他們才相信我不會騙林紅。

「林紅脾氣是不大好，我們從小嬌慣她了，但她人不壞，你對她好，她會好好服侍你一輩子的。」

老人說他年輕的時候也還有些樣子，愛她的姑娘也不少，但他都看不上，他最後看上了

現在林紅的媽。

「我圖什麼呢？」他說：「就圖她心好，她是離過婚的，命苦，但體貼人。我眼睛不好，但看人不會看錯，我和你林媽結婚近三十年了，我們從沒紅過一次臉。」

我給老人勸酒，說好話。

「這事你不能說沒一點責任，」老人說：「你們都有孩子了，你也不早點把婚事辦了，她怎麼沒想法呢？」

我連連點頭稱是，賠罪。我說我對不住林紅，我會好好彌補這些過失的。而我心裡明白，我的承諾要付出代價。林紅曾對我說過，人都喜歡自作聰明，都把別人當傻瓜看，事實上這種人最愚蠢。林紅說，如果有一天我要使她難堪，她會不惜一切代價報復我的。所以我知道此時許下諾言於我不利，而諾言都是難以實現的。

但問題的複雜性在於，我的承諾確實出於真誠——最起碼也有一半的真誠，在當時，我就是想和林紅結婚——為什麼不能結呢？她不就是個妓女嗎？不就是個暗娼嗎？可她可以給我最大的溫柔啊，她可以給我一個溫暖的家啊。雖然我不知道自己究竟愛不愛她，但這又有什麼要緊，人世間，又有多少家庭存在真正的愛情呢？是的，我需要一個家，需要一個屬於自己的空間，有了這個空間，我才能心靜，才能安寧，才能施展我的才華，才能實現我的夢想。而誰能給我提供這個空間呢？唯有林紅。所以跟她結婚又有何不可呢？

當天晚上，我沒回單位。我在林紅家睡下了。到了半夜，我聽到一陣激烈的叫罵，起身一聽，原來是林紅回家來了，在門口被她父親堵住，被她父親一陣好打。

我趕忙跑出去解釋，林紅如找到救星一般撲到我懷裡。

我把林紅帶到她的閨房，看到她臉上劃著濃妝，髮式也換了樣，我問她最近都幹什麼去了？她不以為然地說：

「這關你什麼事？」

「怎不關我的事？妳是我的未婚妻啊！」

「放你的狗屁！」林紅哼著鼻音道：「我什麼時候成了你的未婚妻了？」

我把她摟在懷裡說：「別跟我鬥了，行嗎？我過去有對不住妳的地方，請你原諒我，我們重新開始，好嗎？」

她不屑地說：「太動聽了，太動聽了，你以前是寫詩出身的吧？」

我一時無言以對，悶悶坐著。

她一面卸妝，一面寬衣解帶，然後赤裸著身子溜進被窩裡去。

我掀開被角，伸手去摸她的大乳。

她推開我的手罵道：「幹什麼你？」

我說：「幹妳，我要幹妳！」

說著我也溜進被窩裡，死死抱住她，吻她，她掙扎幾下就完全順從了。

怕她會再次懷孕，這次我有些小心了。伸手到枕頭底下摸避孕套，摸了半天摸不著，我問她避孕套那裡去了？

「我丟了，通通丟了。」她氣咻咻地說。

「那我放裡面咯。」我說。

「隨你便，我不管。」她說。「反正有了我還可以去刮。」

我聽出她這是氣話，便把老二抽出來，把精液射在她的肚皮上。

没想到這一來她更生氣。一把推開我，跳起來找衛生紙擦拭肚腹上的精液，一邊擦，一邊罵道：

「你他媽的你在怕什麼，你放在裡面呀，你怎不放呢？反正老娘是妓女。幹了白幹，你他媽的！」

發洩過後我就用不著對她温情脈脈，我也跳起來說：

「妳這個騷貨，妳給我閉嘴，再罵老子不日死妳。」

她果然不罵了，上床來躺在我身邊。

我伸手到桌上取出兩支香菸，給她一支，我自己留一支，點上，深深吸了一口，說：

「妳變了。」

她看了我一眼，鼻子哼了一聲，不說話，只顧吞雲吐霧。
「妳怎不學好呢？妳應該學好啊！」我說。
她突然用胳臂支起頭，對我笑道：
「不是老趙叫你來給我作思想工作的吧？」
「我說妳嚴肅點好不好，我可是為妳好啊。」
「噢，是這樣。」她復又躺下，依舊只顧吞雲吐霧。
「呃，」我討好似的湊近她：「以前妳跟別人是怎避孕的？」
「我不避，從來不避。」她說。
「那有了孩子怎辦？」
「刮掉！」
「那以前妳也懷過別人的孩子？」
「懷過。」
「誰的？」
「你問這些幹麼？」
「誰的？」
「毛毛的。」

「就是讓妳看淫穢錄相然後破妳童子那個？」

「yes。」

「懷過幾次？」

「一次。」

「妳跟他那麼久只懷過一次？」

「怎麼，不相信？」

「不相信。」

「你和我這麼久，不也只懷過一次嗎？」

我不說話了。過一會，我又問：

「楊麗麗她們呢？她們避不避孕？」

「哪我怎知道，你去問她好了。」

我伸手揉揉她的大乳，笑道：

「告訴我麼，我想知道妳們平時到底是怎避孕的。」

「不避，都不避。」

「那不危險？」

「誰不知道危險啊，但客人是付了錢的，噢，你叫人家帶個套套，人家幹嗎？蠢！換了

你，你幹嗎？」

「你們可以吃藥啊。」

「不吃，吃了藥不舒服。」

「怎麼不舒服？」

「怎麼不舒服？」她笑了起來，「噁心啊，就像看到你一樣。」

「看到我妳會噁心嗎？那當時妳怎想要來巴結我呢？」

「嘿，你搞清楚沒有，是你巴結我還是我巴結你？你忘了你第一個晚上那副餓相了？」

「沒忘。」我笑道。

這時我的老二又挺起來了，我翻上去又要幹，她從床底下摸出一包避孕藥膜來，遞給我說：「用這個。」

我笑著撕下一張，揉成一團，然後用手指送到她裡面去。

「輕點，蠢豬！」她叫道。

5

楊麗麗的妹妹楊三三終於從海南回來了，同時帶來了五萬元的存款和一身淋病，但她一點也不把淋病當回事，繼續接客，繼續出入本市最高檔豪華的酒樓和歌廳。沒人看出她是個病入膏肓的人。甚至由於她的外表美麗迷人，加上衣著華麗、時髦，以及多年修煉出來高雅、大方的氣質，沒人看出她是個妓女。

楊三三一回來就把林紅叫去著實大罵了一頓。她把林紅說成是世上最愚蠢又最癡情的女人。當她得知我在一家科研單位工作是個小知識分子又窮得可憐時，她對林紅說：

「如果妳三天之內不把他打發走，妳以後永遠不要跟我三三交朋友。」

那天晚上我到林紅家去，林紅把這話告訴我，我便問林紅：

「妳呢，妳準不準備把我打發走？」

林紅不說話，過了許久，她說：

「窮我不怕，我就怕你以後會拋棄我。」

「我為什麼要拋棄妳，」我說：「如果妳對我好好的，我幹麼拋棄妳呢？」

「我想過，我們並不合適。」

「怎不合適，妳說。」

「你是個有身分有地位的人，而我什麼也沒有，我只有這個。」她指著下身說。

「對，我知道，妳一無所有，妳只有那個，不過，我恰好就喜歡妳那個，妳看，我們不是一拍即合麼？」

「你看，我說得沒錯吧，你就只喜歡我這個，我知道，你並不喜歡我，你只想玩弄我，玩夠了，你會把我一腳踢開的。」

「我和別的男人不一樣，別的男人可能會跟妳談愛情，但我沒有，我的愛情就是妳的那個。」

林紅倒在床上，伸手要菸，我給她遞上，點燃，說：

「妳不要把我看成知識分子好不好，我是個流氓。」

「流氓也有良心！」她突然跳起來說。

「對不起，我是個例外，我沒有。」

「你他媽少給我來這套，我告訴你，不要以為我的便宜是那麼好佔的，你要甩我，可以，但你得給我這個。」

她做了個數錢的動作。

「你以為，日屄真的那麼好日呀，不要錢，讓你白幹，哼，你別作夢！」

「嗯哼。」

「我跟你玩了這半年，我得了什麼？得了你他媽一個娃娃，得刮一回宮，除此之外，我得到什麼？」

「嗯哼。」

「你別跟我裝腔作勢的，你他媽給我聽著，我們這幾個姊妹，都是一起下水的，現在人家楊三三有好幾萬的存款，楊麗麗也有一兩萬，那還是出來之後賺的，原來的不算，就連那老得沒人要的鍾阿玲婆娘，她也買了一台彩電一部放像機，你他媽你給了我什麼？你給我一根大雞巴！」

「對，我就只有這個，妳要別的，我可沒有，這個，我願無私奉獻。」

「你說，你到底想不想跟我結婚？」

「嘿，你不是說過，你要永遠作我的情人嗎？」

「那麼你是不想咯。」

「我想哇，我怎不想。」

「那麼明天我們去登記。」

「我就盼著這一天了。」

「明天你不去咋說？」

「我不去？」我嘻笑道：「如果我不去的話，那我準是有別的事了，要不，就是有另外的姑娘邀我登記了。」

「啪！」我臉上挨了一耳光。

「君子動口不動手！」我說。

「啪！」我臉上又挨了一下。

「嘿，妳別得寸進尺唷，我可要自衛還擊了唷。」

「啪！」又是一下。

「你給我滾！」林紅紅著眼說。

「我不滾。」我說：「我怕你老爸老媽又把我找回來。」

「滾！」林紅瘋狂吼道。她的模樣真可怕，像發怒的母狗。

「好好好，我滾，我滾。」

我哼著小曲狼狽的逃出門來。

我想這回總該結束了吧，這回林紅該死心了吧。感謝上帝，一切都過去了。

回到辦公室，我如釋重負地大鬆了一口氣。我想該好好慶祝一下這次的勝利，放一支曲子來跳跳舞，這時才想起我的錄音機還在林紅家裡，那可是我唯一的財產了。但我想，算

了，她畢竟陪我睡了半年，這家當就留給她作紀念吧。

當天晚上，我作了一個美夢。什麼美夢呢？我記不住了，反正是個美夢。誰能料到，第二天林紅卻找上門來了，她向我道歉，表示懊悔，說她真心愛我，發誓再不與三三、麗麗她們往來，要跟我做牛做馬過一輩子。

我立即傻了。

看來把一個女人騙上床不容易，而要把一個女人騙下床就更難了。

我不得不再次把林紅抱在懷裡，替她拭去臉上的淚痕。

我和她一道回她家去。一路上，我不斷地給她灌輸做好人的思想。我說別看三三、麗麗她們現在有錢，但她們那是用失去人格和淚水換來的。我說那些錢來得不正，遲早有一天要栽的。我們現在雖然窮一點，以後會好起來的，我說我的小說就要出版了，這將給我們帶來一筆可觀的收入。

林紅聽了破涕為笑，她在大街上不停地吻著我，說：「愛你愛你愛你，我要永永遠遠愛你。」

晚上我們早早吃飯就上床了，上床後，立即擺開陣勢開戰。精疲力竭之後我對林紅說：「今後妳就安安心心在家給我做飯，沒事練練字，以後幫我抄稿子。」

林紅吻著我的老二，點頭如搗蒜，連連說：

「我聽你的，我聽你的。」

事情看來就這樣進入正軌了。我們天天在一起過日子，彼此都不再提結婚的事，林紅的父親偶爾提起，林紅就大聲吼他，說：

「不關你的事，你少插嘴。」

林紅父親很不解，說這怎麼不關他的事呢？

我就對他解釋說，我們還年輕，還想再玩一段時間，以後再說。

兩位老人還是不放心，時不時催促兩句，但催了幾回，不見反應，也懶得理了。

日子過得倒也快，一晃眼，五月份到了。

一天，我回到林紅家，不見林紅，問她媽，她媽說在隔壁打麻將，我到隔壁去看，並沒有林紅的影子，我很不高興。回到屋裡悶坐。

林紅的父親也問怎不見林紅，我說不知道。

「她没有跟你一起？」他問。

我搖搖頭。

林老頭的脾氣又上來了，他大聲的對林紅媽說：「妳去把她找來，看我打斷她的腿。」

不一會，林紅回來，我問她去哪裡了？

她說在家天天坐，心悶得慌，出去散散步。

我問她到哪裡散步？

她說就在外面。

我不信，我說你散步嘴上塗口紅幹什麼？

她見瞞不過，便承認是到鐘阿玲家去了。

「去幹什麼？」我問。

「你總不能把我像關豬一樣關在家裡吧。」她生氣地說。

「嘿。」我說：「我都沒發脾氣，妳倒先發脾氣了。我實話告訴妳，換了別人，她出去多久，多遠，我都無所謂，但妳出去，我不放心。」

「因為我是妓女，我是賣屄的！」她突然「哇」的一聲大哭起來。

她跑進閨房，一頭撲在被子上，嚎哭著說：

「我受不了，我不想做好人了，我要出去，我要做妓女，我要去賣……」

那一晚，我勸了她整整一夜，最後我做了妥協，可以允許她出去，但不要她跟別的妓女來往，更不能跟男人來往。

她同意了。

我們又和好如初。

「妳呀，總是太孩子氣。」我笑著對她說。

「我的確是個孩子嘛，你以後要遷就我一點，噢。」她也笑道。

過了兩天，我到她家時，她又没在家，我問她媽她去哪裡了？她媽面帶難色地說：「楊三三、楊麗麗和鐘阿玲來約她去玩，她不肯去，她們硬把她拖去了。」

我一聽，立即騎自行車往鍾阿玲家趕。

到了鍾阿玲家，果然看見她們都在那裡。但這次她們不是在打牌，也不是在看錄相，而是在精心打扮，她們把林紅的頭髮弄成了一個公雞頭，林紅也正對著鏡子一個勁地描眉毛。

我出現在她的鏡子裡。

林紅大驚，回過頭來，剛想解釋點什麼，楊麗麗過來一把將我推開了，她說：

「我拿一百塊錢請你回家去坐著好不好，不要來這裡出我們的洋相，我們今天有一筆大生意要做。」

這時屋裡走出一個鮮豔奪目的女子，我猜想她大約就是所謂的三三了，她走過來，對我笑著：「你就是林紅的朋友？」

我不回答。也許我被她的美麗驚呆了。

她是我見過最美麗漂亮的妓女了，她這樣的女子去做妓女真是太可惜了。如果是她要嫁給我，那我就毫不猶豫了。

我曾聽林紅說過，楊麗麗的父母原來是醫學院的醫生，同在一家單位，工作接觸中產生

了愛情，後來結婚，生下她們倆，長大後成了絶世美人，可惜楊三三和楊麗麗從小無人照料，寄養於舅家，少女時代就被人騙姦，以致於淪落為娼。

三三對我笑道：

「你就在這裡跟我們玩吧，沒事的。」

她的聲音清脆、甜美，讓人不飲自醉。她的長相跟麗麗極為相似，但比麗麗更加飽滿，多情，且她身上有一種與眾不同的光彩和氣質，讓人一見便銷魂。

我實在不相信她居然會有一身淋病。我想如果她邀我同床，我會毫不猶豫的插進去，我才不管她有什麼病，就是梅毒、愛滋病我也不管。

林紅把我拉到鏡前，問我她今天漂不漂亮？

「淫蕩十足！」我說。

「豬！」她罵一聲，走開了。

不一會兒公路上開來了兩輛豪華「奔馳」小車，車上走下來幾位手持大哥大，身著華麗西服的男子，看樣子都是一些大老闆。

屋子裡的空氣頓時緊張起來，三三催促大夥趕快打扮，不准再磨磨蹭蹭。

林紅給自己的頭髮再噴了一次髮膠。

鍾阿玲則把口紅再添了一層。

楊麗麗跑到公路上去招呼那幾位老闆。

不一會兒楊麗麗回來說：「搞好了沒有，搞好了就走。」

大夥說：「好了。」

麗麗說：「那就走吧。」

我跟她們到了公路邊，麗麗把我們一一介紹給那幾位老闆。我一看，對方也是四位，難怪她們今天非得把林紅拉上，要不然就分配不均了。

介紹到我時，麗麗遲疑了一下，倒是三三聰明，接過話說我是她表弟。

老闆們噢噢噢應著過來和我握手。

我很不自在地應付著。

她們上車後我才發現，只有我一個人被留在車外，麗麗伸出頭來說：

「對不起，車子坐不下，你在家玩好不好，我們去一會兒就回來，你——」她把我拉到車門邊，附耳道：「你放心，我們不是去敲板凳，你的林紅不會有任何損失的。」

四位老闆假惺惺地說：「擠一擠吧，叫他上來，沒關係的。」

麗麗卻對我揮揮手說：「再見，不要生氣噢。」

車子呼的一聲就消失在公路那邊了。

我悵然若失，怏怏回到林紅家。

我在林紅家開錄音機聽音樂，聽了一會兒就睡著了。天黑時林紅媽叫醒我吃晚飯，邊吃飯，林紅父親就邊發脾氣，大罵林紅不學好。

晚上林紅回來，很興奮的告訴我她玩得很開心。我問她們都去了些什麼地方，玩了些什麼？她說去了「僑誼」和「阿房宮」，在「僑誼」吃飯，在「阿房宮」跳舞唱卡拉ＯＫ，她們吃的那一頓飯花了兩千多塊錢。最後她說，他們很文明，沒動手動腳。

聽完她的陳述，我便起身告辭，我學著楊麗麗的樣子和口氣對林紅揮揮手說：

「再見，別生氣噢。」

我帶上門，騎上自行車一路飛快踏到單位門口。我鎖好車走進辦公大樓，守門的老頭問：

「這一向不帶女人回來過夜了？」

「不帶了，」我說：「我改邪歸正了。」

6

作為本市最著名的淫窩，秀樓旅社的老闆孫世奎孫阿三終於被槍斃了，這消息立即轟動了全城，一時間，街頭巷尾，人們到處都在議論著。

槍斃孫世奎的當天，我正好在街上遊蕩。看到一排排警車呼叫著向郊外的行刑場開去，孫世奎被押在中間的一輛大卡車上，儘管身上已被五花大綁，但他仍能面對行人從容微笑。我不知道當時他心裡想些什麼，但我看到：他的眼光依舊沒有離開那些美麗的姑娘，他會不會有一種遺憾呢？會不會有一種不滿足感呢？

後來我聽人說他在行刑場上喊了兩句口號，「姑娘們，妳們等著，我馬上轉世來會妳們。」另一句是：「殺了我一個，自有後人跟來。」

我不知道林紅她們在聽到孫阿三被槍斃後有何感想，但我想肯定或愛，或恨，或愛恨兼有之，因為不管怎樣，阿三曾是她們的頭頭，她們的上級，同時也是她們的公共情人。

據說所有的妓女都曾跟孫阿三睡過覺，民間甚至傳說只有經過孫阿三「培訓」過的妓女，才能算是真正的妓女。是不是這樣，我也不清楚，要清楚只有陳艷如最清楚了，可惜我找不到她，也不想找她。

時光似水，韶華易逝。轉眼之間又到了初夏的季節了，在離開林紅後的那些日子裡，我沉浸在青春流逝的傷感之中，回憶舊日時光，那些匆匆消逝的歲月，我希望在那些漫長人生的足跡裡找到一點可以緬懷的東西，可惜沒有，我實在一點驕傲也沒有找到，只有傷痛，無盡的傷痛。從第一次戀愛起，我一直在失敗，失敗，失敗，我永遠在失敗，我從未成功過，這種一敗塗地的命運，似乎一直貫穿於我整個人生，使我總是難以抬頭。

林紅走了，她不再出現在我的生命中，眼前只有初夏溫暖濕潤的小雨，和無邊無際的寂寞空虛。

我需要一個女人。我想。

但是，誰會來愛我呢？回憶二十五歲前的生命歷程，我雖然也有過幾位女人，但我實在無法判斷出她們誰愛我，或誰才真正愛我。

婭或許是愛我的罷？但她寧肯把女兒寄養在鄉下，也不願讓我再見上一面，這能說她愛我嗎？不，婭不愛我，起碼，現在她不會愛我了。因為雯的出現，我太傷她的心。事實上我和雯並沒有什麼啊。當然，我愛雯，這點情感我絕不否認，但我也並未打算跟雯結婚，而雯到底愛不愛我，愛到什麼程度？這似乎也經不起推敲。不管怎樣，雯如今依舊遠在北方的那個小縣城裡，過她相親相愛的小日子，她心裡恐怕是不會再有我的位置了——這可以從我寫去的幾封信均不見回音得到證明。

那麼，林紅呢？這也似乎是經不住拷問的。我想林紅早已習慣於她從小就養成的那種生活方式了，她雖然來自社會底層，來自貧困，卻不能再回過頭去適應底層的貧困生活了。習慣常常是很頑固的，習慣一當養成，恐怕改變也難。

當然我也深知我倆的悲劇絕不僅是林紅單方面的原因，這依然關係著我。我或許從一開始就並不愛林紅，會爬到她的肚皮上去，只不過是出於一種生理需要罷了。但也不能否認我

對她確實有感情。而我不只一次地產生娶她為妻的衝動，恐怕也不能說完全虛偽。環境是重要的，在特定的環境下，人的一些想法恐怕是不太符合常規的。

哎，俱往矣，去他媽的吧，統統去他媽的吧。有女人的日子當然好，但沒有女人我也得堅強的活下去。我必須適應沒有女人的日子，我得壓抑自己的性慾，把精力轉移到我的事業中來。

對了，我還有我的事業，這是唯一可以告慰自己心靈的東西。每當我翻閱當年激揚的文字，心中就多少會產生那麼一點驕傲。是的，這些美麗的句子，正是經由我的大腦而加以組合的，這些奇妙的思想，也源自我勤奮的學習和工作。不管怎樣，我仍有一技之長。即使單位上的領導們如何把我不當人看，我依舊可以發現自身的價值和驕傲。能有這種感覺，我想這就夠了，足夠了。

一天，收到北方一家出版公司的來信，信上說，我的書稿《風塵》已經通過終審，現已發排了，過不了多久，我就可以收到樣書和稿酬，信中特別強調了我的稿酬，信上說按出版社最高的稿費標準支付給我。

得到這個消息立即狂跳起來，我眼前頓時呈現一片光明的景色。

我真想把這個消息告訴林紅，可惜她已經不在我身邊了。林紅，林紅，林紅，妳在哪裡呢？

真是心有靈犀一點通，當天下午，林紅就找上門來了，同她一起來的還有小七妹。她們還未進辦公室的門，我便聞到那股濃濃的香水味。初夏季節，林紅穿得很少，把她那對大乳暴露無遺，給人以巨大的誘惑。我給她們倒茶。林紅說不用了，她來問我要點錢就走。

「要錢？要什麼錢？」我問。

「賣屄錢啊。」林紅做出一付故意來跟我找碴的神態說。

「妳要多少？」隔了一會，我問。

「你說呢？你說我值多少？」林紅反問。

我咬著牙，不知如何回答她。

「賣屄，妳可找錯人了。」我說。「妳不是不知道，我是個窮光蛋啊。」

「不，你平時窮，但今天不窮。」林紅笑道。

我這才想起，原來今天是發工資的日子，她是計算好了才來的。

我突然一下子拉開抽屜，取出早上發的全部工資，一下子甩給她，說：「妳拿去吧。」

「別動氣，夥計，」林紅撈起地上的錢，仍舊冷笑道：「要你幾個錢，沒要你的命，別心痛。」

得了錢她拉起小七妹便要走。我說：「噯，妳得了我的錢怎不給我服務呢？」

「這是舊帳，」林紅笑道：「等舊帳算完了，我們再來算新帳。」

「再見，別生氣噢。」她揮揮手道：「你要做好準備噢，下個月的今天我還會來的。」

她們走了。

我坐在辦公室的沙發椅上，聽著她們高跟鞋的聲音漸行漸遠，我完全弄糊塗了，這是怎麼回事？我幹麼把一個月的工資全給了她，這個月我吃什麼？

生活太具體了，面對生活，我們實在偉大不起來。第二天，我就分文不巴身了，我得四處找人借錢，到小周的服飾店去找小周，不遇。又到幾位同學家去走了一圈，同學倒是遇上了，但卻沒法開口。最後回到辦公室時，我覺得自己快餓死了。

「怎麼回事？怎麼回事？」我對自己說：「你的聰明才智哪裡去了？怎麼會弄成這個樣子呢？」

我覺得這事真滑稽，而且也真悲壯。面對飢餓，我彷彿感慨萬千，卻又無從說起。

「媽的，這事看來得找她父親。」我突然自作聰明地想，就去找林紅的父親解決，否則永遠沒完沒了。

我忍著飢餓之苦痛騎車奔到林紅家，恰好她一家人都在，我原以為林紅的父親起碼要招待我一頓飯，想不到他們卻把我拒於門外。

他們對我的回答就是歇斯底里的叫罵。此時，全世界最骯髒的語言已經集中在他們的嘴

上，他們在謾罵中發洩胸中的積憤。

我灰頭土臉的回到辦公室。在屋子裡茫然地走了幾圈之後，不自覺地哭了起來。成串的淚水掛在我的臉上，可我不明白這一切究竟是為了什麼……

而彷彿悲劇一經開了頭，不幸的災難就會接踵而來。過了兩天，林紅的父親竟然找到辦公室來，而這次，他既沒有發怒，也沒有抱怨。他只是心平氣和的對我說：

「你和林紅的事，我就不找你們領導說了，你看，我們是不是私了算了？」

「怎麼私了呢？」

「你就補貼林紅一點吧，這實際上是補貼不了的，只不過，也沒有其他辦法了。」

「你們要多少？」

「你憑良心給吧。」

果然應了林紅那句話，自以為聰明者，其實最愚蠢。而真正的智者，從來都是大智若愚。

我對林紅的父親說，我眼前暫時拿不出錢來，過兩天我會親自送到你家去。

逢著這種時候，老頭子就開始裝聾了，我不得不大聲說了好幾遍，他才「哦」地應了一聲。

李所長過來問我是怎麼回事？我說沒什麼，是點私人間的小事。

老頭子笑笑地走了，他說他在家等我。

人生際遇真是太叫人難以把握了，幾天前我還沉浸在與林紅的甜蜜愛情中，現在卻遭到了如此無情的打擊。真是百思不解啊。

說穿了，這事情也非常簡單。我最後一次棄林紅而走，使林紅不再相信我的愛情神話，她終於鐵下心來，要從我這裡尋找補償，以求得心裡的平衡。

顯然地，她只有把我逼得越難堪，越痛苦，越狼狽，她的心裡就越快樂，越舒坦，越滿足。

而她掌握著我的弱點：我死要面子，她卻可以死不要面子。牢也坐過了，下面也被千百男人洞穿過，還有什麼面子可言呢？

我的悲哀在於：被人捏著了軟處，卻沒錢去求得和平，剩下的就只有掙扎吧。

一切都是報應，都是咎由自取。在那些苦苦掙扎的日子裡，在那萬般無奈的日子裡，我哭不出來，也叫不出聲來，只有咬牙忍受一切痛苦和恥辱。

我當然希望用錢去求得和平，求得私了的結局。我不能讓單位得知這件事。不管我現在如何不得志，如何被埋沒，但我畢竟還年輕，我才二十五歲，年輕就是最大的本錢，年輕就是前途，我還有光明的前途，我要奮鬥，掙扎，有朝一日也能出人頭地，永遠擺脫這貧困而卑賤的人生。

我編造了一萬條最富麗堂皇的理由，終於從朋友處借到五百塊錢。五百塊錢，這在林紅

看來恐怕不值一提，因為那些老闆們請她吃一頓飯也要花上好幾千元，我這五百元又能算得了什麼呢？但於我，卻已使出渾身解數了，我暗暗祈禱，盼望上天有眼，原諒我的無知和貪慾，能以此五百元了事。

我把錢帶到林紅家去時，林紅的父親顯得很客氣，他臉上始終面帶微笑，彷彿他從未對我有過芥蒂，而現在依然把我視若義子，心中充滿關懷。

「老趙來過了。」他突然說。「他來打聽林紅最近的情況，他也問到了你，他說如果你欺負林紅的話，叫我們把情況向他匯報。」

我的心裡頓時一陣狂跳。

「我們什麼也沒對他說。」老頭笑道。他依舊坐在火爐邊的竹靠椅上，悠然地吸著他的雪茄。

「我們做事情，總得講良心。」他說。「我待你一直不錯吧？自從你進了我們這個家，我就把你當親生兒子看待了，這個你心中也有數吧？」

我猜他可能還想感化我，希望我能跟林紅重歸於好？

「錢帶來了嗎？」他突然眼睛一睜，問。

我摸出五百塊錢，遞給他，說：

「林伯，你們對我的恩情，我是永遠也報答不完的，這點錢，實在太少，也不能彌補什

麼，我想你們真的不追究我，原諒我，以後我有出頭之日，一定不忘再來回報你們。」

老頭接過錢，慢慢地數，似乎聽不到我說的話。數完了，他抬眼看我，說：

「五百塊？」

「嗯，」我說：「很對不住你們，我實在是沒辦法了。」

他沉默了一會，突然展顏一笑，道：

「好吧，這事就到此算了，就這樣吧。」

我連聲道謝，一再表示對不住他們。

回到單位，我終於放了心。這事如此了結，於我實在也是萬幸了。錢財乃是小事。關鍵是我終於保住了我的名聲。保住了名聲就保住了前途，只要還有前途，眼前的不幸和損失又算得了什麼呢？

我唱起了一首歌，一首多年沒唱完的老歌。那是一首什麼樣的歌呢？噢，我記不住了。

噢，原來是那首歌，無詞，無曲，無譜，無調……

7

一天，我收到妹妹和弟弟的來信。妹妹說，她要出嫁了，因為窮，她幾乎沒有置辦一樣嫁妝，她說如果我手頭方便的話，請給她寄一百塊去，應應急。

弟弟來信也是說要錢。弟弟在北方當兵，他說他在部隊上混得還不錯，目前有望轉為志願兵，但恐怕得給領導送些禮，他說如果我能找到錢的話，就給他寄一點過去，隨便給多少都可以。

讀完弟弟妹妹的來信，我心裡掠過一種滄桑感。我頓時覺得自己太對不住他們了。我當然再也找不出錢來寄給他們，我甚至連信也懶得回了，因為我不知道該怎麼樣對他們說，同時不回信也可以節省四毛錢的郵資啊。

人窮志短，而志短人更窮啊！

記得好友文新曾經勸過我，說像我們這樣死要面子的知識分子，千萬別去招惹那種死不要面子的女人。一當沾上，則必遭殃。文新說，要找女人你得去找那種有工作有單位且在要害部門的女人，要不就是學生，或剛剛出世的少女，他說只有這幾種人才會死心踏地愛你，

即使最後搞不成功，他們也不會回頭找你的麻煩。

文新的話確實正確無比。事實上我也明白這些道理。可是，怎麼說呢？我想歸根究底，還是命運安排著一切吧。

人的命運常常充滿悖論，一方面是自己在選擇命運，另一方面命運又在左右著人的選擇，到底是什麼東西在決定一切呢？

在那一段日子裡，我腦子裡不斷浮現雯和真的面孔，我不明白當初竟何以會拒絕跟她們上床，而毅然決然地選擇了林紅。這又是為什麼呢？

而可悲的是，我和林紅的故事還未結束，一切才僅僅是開始。

一天，我正在所裡參加政治學習，林紅突然出現在辦公室門口，李所長問林紅：

「妳找誰？」

林紅不回答，眼睛卻盯著我。

我無可奈何的站起來，把她拉到我的辦公室。

「又有什麼事？」我問。

事實上這句話純屬多餘，一句道地的廢話。

「噢，你忘了嗎？今天你們發工資啊，我上次不是對你說過了，每到你發工資的時候，我都要來一趟嗎？怎麼，你不高興呀。」

林紅做出一付潑皮相。那意思是說，我拿她沒辦法。我的確拿她沒辦法。

「錢我給你爸了，我們的事了結了。」我說。

「了結了？」林紅訕笑道：「誰告訴你的？我怎麼不知道？」

我強壓住心頭的怒火，說：

「妳不要太過分，過分對妳沒好處。」

「對我沒好處？」她哼一聲道：「我不明白。」

她故意提高嗓門，以便讓在對面開會的同事們聽見。

「出去說好嗎？有什麼事我們到外邊去說。」

「不不不，在這裡說最好，事情很簡單，我們沒有必要到外面去，你給我錢我就走，不給我錢我就坐在這裡慢慢陪你聊天，當然我最近工作也忙，聊天不可能聊得太久，你要是不打算給我錢呢，就趁早說，我們好去找你領導來解決。」

我咬著牙，極力想把已經竄上頭頂的火氣壓下來。但是，我終於壓不住了。

「我再說一句，不要太過分！」我說。

「我過分？噢不不不，這一點也不過分，我認為合情合理，我賣給你半年多，我現在來討幾個血汗錢，算過分嗎？」

「妳太猖狂了。」我咬牙切齒道。

「是有那麼一點，不過，這不應該嗎？」

「妳給我滾！」我說。

「滾，那容易啊，拿錢來。」她嘻笑著向我伸手。

「老子没錢！」我說。

「老娘不滾！」她說。

我洩了氣，又重新鼓起了氣：

「你估我不敢殺妳是不是？老子今天就把妳殺死在這裡讓妳看看。」說著我假裝去抽屜裡找刀子，我以為這樣一來可以把她嚇跑，没想到她卻尖叫了起來：

「殺人啦！殺人啦！殺人啦！」

我頭腦裡第一個反應是：必須立即制止她的尖叫。

我迅速衝上去捂住她的嘴巴，但她卻張口狠狠咬住了我的手指，頓時疼痛難忍。

我不得不扭住她的脖子將她放倒在地。

這時單位上的同事們一擁而入，分別抱住了我和林紅，一場戰鬥終告結束。

「怎麼回事？怎麼回事？你們怎麼回事？咹？」

大夥在問，李所長在問，保衛科的也在問。

我說不出話來。不知從何說起。心中只重複一句話：「完了，完了，徹底完了，紙終究包不住火，包不住，包不住，包不住啦，我完了，從今以後，我休想在單位上做人了。」

我和林紅被帶到保衛科。

科長問我：「你先說說到底怎麼回事？」

「不知道，我不知道。」我悲戚地說。

科長看了看我，「不知道？」他用筆敲了敲桌子說：「不知道？」

我萬念俱灰地搖著頭，痛苦地搖著頭，我想我的眼淚就要流出來了。

「那妳說說吧。」科長轉臉問林紅。

「他要殺我，打我。」林紅說。她抱住自己的脖子，一直哼哼著，做出將死的樣子。

「他要殺妳？他幹麼殺妳？」科長問。

林紅哼哼著，不再說話。

「妳是幹什麼的？姓什麼？叫什麼？家住哪裡？為什麼到這裡來鬧？快說！」科長火了，大聲問林紅。

林紅叫道：「你們快送我去醫院，我快要死了。」

科長走過去看了她的脖子一眼，見沒什麼異常，又說：

「好吧，你們都不願說，我們只好把你們交派出所了。」

科長拿起電話撥號。

林紅看了我一眼。我說：

「科長。」

科長放下電話。說：「說吧，怎麼回事呢？」

「她是我的女朋友，我們為了錢的事情吵了幾句，我嚇唬她，說要殺她，但她卻叫喊起來，我才去堵她的嘴巴。」

「不是堵，是打！」林紅說。

「妳讓他先說。」科長制止林紅。

「就這樣。」我說。

「好吧，到妳說了。」科長對林紅說。

林紅又不說話了，只是不停地哼哼。

「你是不是打了她？」科長問我。

「沒有。」我說：「只是把她的脖子扭了一下。」

「他打了，打得我骨頭都斷了，我要去醫院檢查。」

「好吧，這是你們倆的私事，你們自己處理吧。」科長收了筆，對我和林紅說。

「什麼？」林紅叫了起來，「你們不送我去醫院？哎呦，我的媽呀，我要死了。」

科長看了看我，說：「你看，這事怎辦呢？」

我說去醫院就去醫院吧，心裡明白她不過是故意折磨人而已，到了醫院檢查不出什麼毛病她就沒辦法了。

出於責任，科長和我一道送林紅到醫院。沒想到一到醫院問題變得更加複雜化了。原來林紅在醫院裡認得一位醫生，也不知道她是怎麼認識上的，她把情況一說，那位醫生就不由分說道：「住院住院，這還有什麼好說的。」

真是流氓遇上流氓爹了，會打的不如會賴的。

我自然不懂醫，醫生說是骨頭關節脫位，得做牽引治療，我便什麼話也說不出來了。

住院得交錢啊，先交六百，少一分也不行。

這錢當然得由我掏。想了半天實在想不通，就對林紅說：

「林紅，妳他媽的妳不就是想敲詐我幾個錢嗎？妳他媽乾乾脆脆講個數，我去借給妳，妳少來給我裝死好不好？」

林紅不說話，哎喲哎喲直喊痛。

醫生衝我吼道：「到這時候了，你還講這種話，要是出了人命，我看你這一輩子也完了，就是不出人命，她腦袋要有點殘疾，你這一輩子也莫想輕輕鬆鬆過日子。」

我實在忍無可忍，對醫生吼道：

「你別嚇唬我好不好，她的傷到底有多麼嚴重我心裡清楚，我相信你也清楚，你要是給我搞假診斷，我就告你。」

醫生冷笑道：「告吧，你去告吧。」

結果林紅還是堅持住院。沒辦法，我叫科長在醫院看住林紅，自己回單位借錢。六百塊錢，跟誰借？誰願借？我真是叫天天不應，叫地地不靈。後來找到李所長，李所長說只有先從財務科借，以後再還。財務科起先還不願借，後來李所長出面擔保，才開出了六百元支票，拿到醫院辦了入院手續，接下來的麻煩卻是一個接一個，沒完沒了。

先是我必須每天每晚在醫院服侍林紅，為她倒屎倒尿，儘管我知道她是裝病，頭上的牽引也是假牽引，但我只能忍氣吞聲甘做奴隸不敢有半點怨言。

接著單位派人去通知她家人，她父母親得知消息，頓時怒火萬丈高，找來親戚朋友到我單位大吵大鬧，並揚言要殺死我，我如驚弓之鳥，惶惶不可終日。

因為單位上已得知林紅的基本情況，知其是妓女，亦知我與她是在婦教所認識的，如此一來，我的問題就不是談戀愛的問題，而是嫖妓的問題了，單位上亦派人到婦教所對我在那裡調查時的所作所為進行調查，結果我所有的作為都被視為非法，因此單位上有些領導提議將我直接交公安部門處理。

最後是單位所墊出的六百元錢，從我的工資中扣出，每月全扣，一分不發給我，這樣，

我每月一百多塊的工資也要扣到半年以後才能還清。

一失足成千古恨啊。我是再也掙扎不起來了。

走投無路，走投無路，我他媽的真的走投無路了。

我產生了殺死林紅的念頭，我想她毀了我的一生，而且我曾經對她並不差啊，她為什麼要如此傷害我呢？

一天，楊三三、楊麗麗、鍾阿玲、小七妹、寧小琴等一大幫妓女來醫院探望林紅，楊麗麗見了我，劈頭就是那麼一句：

「怎麼樣，不聽老人言，吃虧在眼前吧。」

把楊麗麗拉到一旁，我問，「林紅何以恨我如此，為什麼想把我害死？」

「我怎麼知道？」楊麗麗不屑地說。接著她又補了一句：「可能她愛你愛得太深了吧。」

我茫然不解。

楊麗麗等人來過後，林紅的態度稍好了一些，我想楊麗麗勸她見好就收，要不然弄到最後也可能對她們不利。

半個月後，林紅出院，六百塊錢全被她那熟人醫生開成補品，最後我去結帳，只餘兩塊五毛錢。

然而林紅出院並不意味著事情到此就告一段落。她一到家，林紅父母每天都跑到我的單

位上來大鬧一場，他們極盡謾罵之能事，把我罵得狗血淋頭。而對於罵，這似乎又是他們的強項。我只能在眾目睽睽之下蒙受羞辱。

而他們罵來罵去，其目的無非：

一、要求單位處分我；

二、要錢。

而這兩點要求也顯得極其合情合理。像我這樣壞事做絕了的大流氓，不處分看來是說不過去了，現在只能說是看看給予哪一級的處分而已。至於補償林紅的錢，似乎也不能不給，這就不管我有沒有錢了。

焦頭爛額，焦頭爛額啊，我操他媽！

8

我唯一的財產就只有兩箱書了。

把所有的書都搬出來，於傍晚時分提到大街去賣，我選擇一個行人較多的地方攤下我的書。後來我才發現，我身後的那家酒店，正是我和林紅第一次在那裡喝得酩酊大醉然後回單

位睡覺的地方。

每天面對著那家酒店，守著我的書。

因為我的書多是早些年的版本，一來便宜，二來絕版，所以非常好賣，沒幾天，書便全部變賣完了，我有三百多塊錢的收入。

給妹妹寄去一百五十元，並寫了一封信：

妹妹：妳好。妳的來信早收到了，但因為前段時間我一直較忙，沒時間給妳回信，請妳原諒。妳叫我給妳寄一百塊錢，這要求確實一點也不多。雖然一百塊錢對我來說也很不容易。我深知妳目前的處境，在農村，想找一個錢，那是太難了。我是從那裡走出來的，所以我能理解妳的一切困難。作為妳的哥哥，我這些年來沒能對妳有一點關切和照顧，於此，我心中很是有愧。真的，妹妹，我對不起妳，也對不起辛苦養育我們的父母。可是，叫我從何說起呢，妹妹，今生今世，哥哥恐怕是無臉再見到你們了。我想我一生太聰明，故今日做下了最大的蠢事。妹妹，當哥哥做下這些蠢事傳到妳的耳邊時，請妳相信，那都是真的。但是妹妹，妳可得原諒哥哥喲，妳不要也像旁人一樣，朝我吐唾沫，好嗎？給妳寄上一百五十元，錢實在太少，我很過意不去，但這也是我最大的能耐了。祝妳新婚幸福，妹妹，祝妳有一個快樂美滿的家庭。真心祝

福妳。愛妳的哥哥。

我也給北方當兵的弟弟寄去了一百五十元和一封信：

很對不起，弟弟，直到今天才給你回信，你可能生哥哥的氣了吧，不要緊，我的好弟弟，要生氣你就生氣吧，以後恐怕要找哥哥生氣也找不到了。我有些話真的不知道該從何說起，弟弟，記得我讀大學時，你曾經來信鼓勵我，叫我好好讀書，將來有個出頭之日，弟弟你也可沾點光，享一點福，但現在你看，你哪裡能享什麼福呢？我們家窮，你我從小就窮怕了。為了保證我能讀完大學，你和妹妹都先後失了學，我明白，你失學的真正原因是因為窮，是父親負擔不起你的學費，妹妹也一樣，你們在學校時，成績都非常非常好，你和妹妹的學習成績從來都是班上的第一、二名，你和妹妹失學後，學校老師曾不止一次到我們家去勸你們回校上學，我聽母親說，老師都哭了，可你們最終還是沒有回到學校去。我明白，你們心中只有哥哥，因為哥哥那時是你們的驕傲。你們犧牲了自己，成全了哥哥。可是，到頭來，你們又得到了什麼報答呢？

此時此刻，我真想抱著你大哭一場啊，弟弟，我實在太對不住你，對不住妹妹，更對

不住父母親，你們是多麼希望我能為你們爭口氣啊，而我卻太不珍惜這一切了。回望我昨天所做下的一切，我真是太後悔了，弟弟。我想我的一生都會栽在女人手裡了。先是你的大嫂婭，她毀了我對生活的希望和熱情，她促使我很容易就選擇了墮落。然後是現在的這位林紅，我想父親可能已去信告訴過你了，去年春節期間我曾帶她到家裡去了一趟，她現在終於把我給毀了，徹底地毀了。我現在是連生存下去的勇氣也沒有了。弟弟，我知道你會抱怨哥哥，你一定會指責哥哥太軟弱。是的，哥哥的確軟弱，從來都軟弱。今生今世，哥哥的生命就到此為止了，我想哥哥如今選擇另一條路，也不覺得有怎樣大的遺憾。要說遺憾，那便是我過去支持你太少了，而今後又再也不能支持你了。不過，也好，弟弟，哥哥的不幸，或許正是一面鏡子，剛好可以用來對照你自己，我相信你一定能從哥哥身上悟到一點什麼道理，然後開拓前進，最後實現你的理想。別了，弟弟，我的好弟弟。隨信寄去一百五十元錢，請查收，這是哥哥的一點心意，這恐怕也是哥哥最後的一點心意了。

兩封信都寄出之後，我便下決心先殺死林紅，然後自殺。在那個初夏的季節裡，我白天在單位上接受領導和同事們的批判，聽他們厲數我的罪惡。而晚上我則悄悄潛伏在林紅家附近，尋找機會殺死她，可恨的是她那段時間卻總不回家。去了幾次，我那殺人的慾望也漸漸

平息下來了。

我想真正說起來，這事也只能怨自己，而不能怨林紅。而最後我竟然也想通了，好，不殺她，留她一命吧，其實，她這一輩子，也還不是活得挺艱難的？

一天，小周在辦公室和我談心。小周問我，這事怎麼處理得這麼糟糕呢？稍稍動動腦子，辦法還是有很多啊。

我說是命，命當如此。

「別說什麼命不命的了，這事你得好好做一下總結。」小周說。

我萬念俱灰，也不想總什麼結了。我說：「小周，你實話告訴我，你和楊麗麗睡過嗎？」

小周先是睜大眼睛看著我。繼而大笑著說：

「你頭腦裡到底在想些什麼呀？難道男女之間除了睡覺就不可能再有別的關係了？」

「我不信！」我有些惱怒地說：「我就不信天底下的男人只有我最想跟女人睡覺！」

「哎，叫我怎麼說你呢？」小周欲言又止。他肯定覺得我是一個很不可思議的人。「一個正常的人，怎麼可能不想跟女人睡覺呢？但你得看是什麼人啊……」

我啞口無言了。

沉默良久，小周說：「你也不要太自責了。這事就讓它過去吧。」

小周沉思了一會兒，又說：

「我覺得你的問題主要就是自制力較差。以後吸取教訓就是了。沒什麼的，真的沒什麼。當然，你結過婚，這一點跟我們還沒結婚的人肯定有很大的不同。」

我們一時間又沒有話說了。沉默半天，我問小周：

「你是不是覺得我這人特別下流？」

「我不覺得。」他回答說。

「哎——」我長長嘆了口氣，一時也不知道該說什麼了。

我知道，在這個時候，說什麼話都是多餘的。

「我覺得你很正常啊。真的。」小周說。「起碼，我不覺得你比老趙他們邪惡啊。」

「不，你別安慰我了。」我說：「我知道自己的靈魂有多麼骯髒。」

「有一件事情我不知道該不該告訴你。」

「嗯？」

「楊麗麗曾經對我說，林紅肚子裡的孩子還不一定是你的。」

「啊？你不是跟我開玩笑吧？」

「我跟你開什麼玩笑！」小周很平靜地說：「楊麗麗說，也有可能是老趙的。」

我呆住了。

我癱坐在沙發上，直感到血往頭上湧。

怎麼可能！怎麼可能！我全糊塗了。

媽的，我原來是個背黑鍋的，我原來是別人的替罪羔羊。

又沉默了一陣後，小周說：

「不過這只是楊麗麗的猜測罷了，她也沒絕對的把握。但你和林紅這事情，我覺得主要的問題還是在你，你和她好也罷，不好也罷，你都不該採取這種暴力方式來解決。林紅來找你，無非是要錢，錢乃身外之物，給她就是，幹麼打她呢？沒錢，也不要緊啊，給她說幾句好話，什麼事情不好解決呢？非要發你那牛脾氣，好，發吧，現在知道鍋兒是鐵打的了吧。」

我傻傻聽著小周訓了半天。

小周走後，我還是不明白，小周他和我一般年紀，但卻這麼老練、成熟，而我卻如此幼稚、無知，什麼道理呢？我找不到答案。

古人說得好，幸災樂禍千人有，替人分憂半點無。平時我生活放蕩，大家本來對我無好印象，現在我落了難，就更沒人幫我了。過去所裡每星期二、五早上的例會和學習時間，現全改為對我的批判會和聲討會了。那些過去跟我有過私仇的人，更是找到了千載難逢的報復機會。他們借「幫助同志」的名義對我進行肆無忌憚的攻擊，那些話，實際上只差沒操我祖宗罵我娘了。然而我卻不能反駁和陳述，只要我一開口，他們就說我態度不好，死不悔改，乾脆交公安部門處理算了。

我選擇一個天氣十分晴和的日子，向郊外的鐵路走去。在一座高高的鐵路橋上站了很久很久，我的腳下是一條新修的高級公路，來往穿梭的汽車從我眼前駛過。我想是啊，生活是美好的，人生是美好的，世界也是美好的，可惜這一切都不再屬於我。

天上陽光艷艷，暖暖地照在我的身上，那遙遠的童年往事此時也一幕幕浮上心頭。我想我的人生真是不幸，儘管我也有家，但卻從未得到家庭的關懷，我從六歲起就出門求學，始終是孤獨的身影。在我的印象中，我一生始終與貧困作戰，與飢餓作戰。而最終我還是未能取得勝利。看來，真是天要滅我，我不得不滅了。

在黃昏到來的時候，我從容地睡在被太陽曬得發燙的鐵軌上。我想我在黃昏時死去較富詩意。黃昏是人最易傷感的時刻，傷感的人們一定會寬容我的罪過和選擇。

我在鐵軌躺了很久很久，鐵軌燙得我背上有些癢癢地。就在夕陽將沉的時刻，我終於聽到了火車的聲音。

火車越來越近，越來越近……

第二章 鄉村之旅

1

火車是擠得不能再擠了，站臺上下車廂內外到處都是蠢蠢鑽動的人頭。

一位身穿長大衣的青年試圖從人群中硬擠過去，他高舉著一個大包，口裡直嚷：

「讓讓，請讓讓，我有位子的，我找我的位子。」

人群似乎閃開了一條縫，他試圖從縫中擠過去，但是剛剛抬起來的腳卻被人按住了。

「喂，你注意一點麼，怎麼大腳大腳往人身上踩唷。」

原來是踩著蹲在下面的人了，年輕人忙連聲道歉：「對不起，對不起。」

在他後面，跟著一位身著裘毛大衣的女子，那女子亦步亦趨跟著那青年男子的腳步走，但她的腳也同樣被人按住了。

那女子立即尖叫起來，罵蹲在座位旁邊的人耍流氓，一車的人都回頭往這邊看。

蹲著的人毫不示弱，站起來和那女子對罵。

「誰是流氓？誰是流氓？咹，看妳才像個女流氓，妳踩著人了，不道歉，反而出口傷人，我看妳不是流氓也是個婊子！」

「我踩著你了嗎？踩著了嗎？我根本連腿都還沒抬，你狗日的就伸手摸我的腿，你不是流氓你摸我腿幹麼？咹，你摸我的腿幹麼？」

走在前面穿長大衣的青年回過頭來，叫她別跟人吵了，快跟上他去找座位。

那女子似乎沒聽見，越罵越凶了。

那原來蹲著的人也更加放肆，所罵的語言越來越不堪入耳。

「妳個臭婊子！我摸妳腿了，妳咋樣？我不僅要摸妳，我還要日妳，操妳！」

那女子卻「哇」的一聲哭了起來。整個車廂頓時「轟」的一下笑開了。

那穿長大衣的青年終於放下手中高舉過人頭的大包，又把大衣脫下隨手交給身邊的旅客，然後返過身去，揮拳朝那被踩的人臉上砸去，對方的聲音立即消失了，同時看見那人頓時重新矮了下去。

稍頃，旁邊的人突然大喊：

「死人啦！死人啦！打死人啦！」

車廂裡頓時大亂，喊聲，哭聲，叫罵聲響成一片。

不一會，從車窗外跳上來兩個身著制服的警察。他們手裡揚著電棒叫眾人安靜下來，然後找到了被打的人。其實那人並沒有死，只是臉上流了許多血，鼻樑好像被打歪了。

警察問打人者在哪裡，立即有人指出了那穿大衣的青年。

於是警察把三個當事人都帶走了。

過了一會，那穿長大衣的青年才拉著那女子返回車廂，他們很快找到了自己的位子。

坐定後，旁邊有人問那青年：

「呃，警察咋說的？沒打你吧？」

「幹得好，小伙子。」有人讚揚地說。

那穿長大衣的青年始終不說話，咬著牙，一臉憂鬱地望著車窗外面的世界。

那女子卻很得意地說：

「警察也說我們幹得好，那人確實是個流氓，他們把他給扣下來了。」

那青年很不滿地狠狠盯了那女子一眼，那女子便低頭不說話了。

2

那穿長大衣的青年就是我，那女子即是林紅。我們正要乘那趟開往南方的火車回我的鄉下老家探親。

這趟旅程實在並不愉快，從一開始上路起，我便對林紅的種種表現大為不滿。她總是喜

歡在人多的地方故意表現出喳喳呼呼的樣子，彷彿要以此顯示她的無畏和狂妄，而事實上她卻狗屎不如。我想她之所以會這樣，一是她的修養不夠，一是出於她過去那種永遠也改不掉的流氓習性。

我想那位被我一拳擊倒的旅客說林紅是女流氓這話並不錯——儘管那人也是流氓，就算人家摸了她的腿一下，她有必要如此高聲尖叫怒罵嗎？我想她如果說一聲對不起也許什麼事也沒有了。但她不，在此又一次表現了她從小養成的那種流氓本性，她總是不會放過任何可以表現的機會。

當然那被我擊倒的流氓也是活該，他也未免太過分了。我說過，我是一個性格很複雜的人，我兼備知識分子和流氓的習性，在大多數情況下，我温文爾雅，與人為善，我從不輕易去傷害別人，哪怕別人業已對我造成傷害，通常的情況我都能忍讓和寬容，不到萬不得已，決不輕易發怒。

事實上從根本來講我依舊是個文弱書生。我之所以對人對事都能忍讓和寬容，一方面出於我的修養，另一方面也因為我的柔弱。

就我生活於其間的這個世界來說，讓我覺得憤怒，世上不平的事情實在太多了。我並無能力去干預。有時罪惡就發生在我眼前，我卻無力制止。為此我內心痛苦，我曾不止一次產生去少林寺習武的衝動。我想如果我能有一種功夫，我一定主持正義，弘揚天道，打抱不

平，鏟盡人間邪惡。可悲的是，這全是癡人說夢。

柔弱是我的本性，對弱者富於同情心也是我致命的弱點。但我絕不做任人屠宰的羔羊，這也是我為人的原則。在忍無可忍的情況下，我也會瘋狂得像一位暴徒。

我沒想到那位流氓那麼不經揍，只一拳他就站不起來了。當然這顯然也未免太湊巧，遇到的對手恰好也像我一樣弱不禁風，而所以能戰勝他僅僅在於我先出了手。

我並不想惹事，我不是好戰分子。我從小就怕人，不敢惹人，看見別人打架我就躲得遠遠的。

但是，林紅卻把我逼到了這一步，我不得不冒著生命危險挺身而出。儘管結局良好，我依舊笑不出來。

對林紅是越來越不滿了。自從那次楊麗麗等人來勸說和阻止我們繼續發展關係後，她的想法也大變，至少她不再完全相信我了。她開始背著我繼續跟楊麗麗等人往來，好幾次我到她家時她都不在家，經常到深更半夜才回來，我問她到哪裡去了，她說在朋友家打麻將，這些話我當然也只能將信將疑了。

事實上我也越來越清楚地意識到我和林紅的這段愛情終將不過是一場悲劇，但出於很複雜的心理，我並未立即終止我們的關係。

什麼心理呢？我整理了一下，有四：

一、愛情。我想我依然愛著林紅，儘管事情已起了變化，但我想愛情依然存在，畢竟在這茫茫人海中，她是我唯一的知己。

二、承諾。我說過，即便我這人有一千條一萬條缺點，但卻也有一條優點，那就是我始終堅持為我的任何承諾負責，哪怕明知這個承諾是一個錯誤的承諾，我也依然負責到底。而我對林紅正是有著相愛到底絕不拋棄的承諾，沒有充足的理由，我不會背棄承諾。

三、期待。我總認為林紅是屬於那種可以改造好的人。她和別的妓女不一樣，那些人是出於好吃賴做的德性而賣淫的，而林紅則是上當受騙。雖然她在這條路上已滑得較遠了，但我總相信通過慢慢的教育、感化和熏染，是能夠把她改造好的。

四、性慾。我想我還是不能迴避這個事實，林紅於我在很大程度上就是太能滿足我的性慾。我不知別的男人在沒有女人的日子是怎麼過來的，我則覺得沒有女人，人就不能生活下去。也許我的性慾比一般人要強烈一些？簡直無法容忍沒有性生活的生活。而我對林紅的愛情不能說有相當一部分基礎就是來源於我和她在性生活上的和諧。我甚至很崇拜她的生殖器，我認為那是世界上最完美最動人的生殖器之一。我想那絕非一個普通的洞，儘管在我之前，已有許多人訪問過它，並無數次折騰過

它，但它依然給我帶來滿足、快樂和無比銷魂的感覺，而這一點，是別的女人所不願給我或不能給予我的。

顯然，我没有必要立即終止我和林紅的這種關係，我有一種期待和希望，就是期盼事情發展到未來，或許會有一種令我十分滿意的結果。當然我也想到，也有可能很糟，當斷不斷，反受其亂，正如楊麗麗所說的那樣，到頭來，我只會引火燒身，搞得身敗名裂。

不過，且不管它，那將來的事，誰又能預料呢？且讓我繼續幹吧，痛快淋漓地幹，不能讓我的老二閒著，這天性躁動的傢伙，彷彿鯤鵬大鳥，總是高舉頭顱，虎視著女人的那個門洞。且讓它在林紅兩腿間的那個美妙無比的門洞安定下來吧，否則它一見到女人就會烈焰騰騰。

那麼帶林紅回鄉下老家，顯然也有幾層意義：一、不能讓我的老二孤獨度過一個可憐的冬天；二、讓林紅見識見識貧困的鄉村生活，讓她醒悟自己過去那種醉生夢死的生活是一種罪惡；三、見見我的父母兄弟姊妹，讓她瞭解我的一切，讓她明白我想娶她並非完全出於一時衝動心血來潮。

3

火車在傍晚十分抵達K市。

到達K市時天空正飄著毛毛細雨。寒風刺骨，我緊裹著大衣，帶著林紅趕緊去找一家旅館住下。此時正值春運高潮，我擔心各家旅館早已客滿，而在這樣寒冷的天氣裡找不到旅店住下就太糟糕了。

幸好，K市旅社遍街都是，各家旅社的客人也並不像我想像的那麼多。我們在一家招待所裡停了下來，我叫林紅在一邊看行李，然後自己跑去服務台登記。

服務員看過我的身分證，便給予登記了。她又問我住什麼規格的房間，我想了想問：

「有單間嗎？」

她便看了一眼在一旁的林紅，問：

「是夫妻嗎？」

「哦，不，我們……」

「我們要看一看你的結婚證，先生，否則你們就只好分開住了。」服務員又對我笑笑，

補充說：「對不起，這是手續，最近公安局查得可嚴格了。」

我想看來也只好分開住了。「那就分開住吧。」我無可奈何地說。

開了票，我和林紅跟著一個服務員上了二樓。服務員打開了202號房門，對我說：

「你住這裡。」

回頭又對林紅說：「妳住307。」

林紅苦著臉看我，我說：

「走吧，妳上去看一眼，然後馬上下來，我們一道出去吃飯。」

隨即我把行李搬到我的房間裡。我掃了一眼房間，屋裡只有兩個舖，另一舖好像已有人住了，床邊有一行李，但人不在，大約出去吃飯了。有一張桌子，桌子擺一台黑白電視。我又檢查了一下床單，還算乾淨，心裡也有些踏實了。剛好林紅已下來，我便和她一道出去吃飯。

招待所在一樓設有餐廳，我們可以就近吃飯，但林紅沒來過K市，很想出去走一走，我只好依她，先出去逛一圈。

和我所在的省城相比，K市的格局顯然小得多，人口也少，冬日寒冷，天上又飄著毛雨，街上行人車輛更少。

我們沿環城路走了一圈，到大十字看了一眼，然後淋著一頭雨水回來了。回來我就往餐

廳走，因為此時我已餓得罩不住了。誰知餐廳已經關門，說吃飯時間早過，不開伙了。我一聽氣得肺都差不多要炸了。想想這事都怪林紅，便責罵了她兩句。不想林紅一聽便很不高興地說：

「怪我？放你的狗屁！要怪你們這狗屁招待所，哪有那麼早就關門的，要在我們省城呀，哪一家旅社不是晝夜營業？」

我一聽更上火了：「這能跟你們省城比嗎？妳咋不想想這是什麼地方？這是K市！不是妳的省城！」

「你明知這樣，那幹麼拿我出氣，我看你對我是越來越不順眼了，你是不是覺得玩膩了，不再愛我了？」她特別強調了一下那「愛」字：「呃，膩了就告訴我一聲，你開我路費我現在立馬就打轉回去，免得到你家你更受氣。」

「……」我一時說不出話來，真想抽她一大耳巴，但我忍住了。

過一會，我氣消了一些，才又帶她到外面找飯吃。

吃了飯回來，聽見招待所的樓上有音樂響，有霓虹燈在閃爍，上去一看才知有舞會。一聽到舞曲，林紅就有些魂不守舍了，她偎著我說去跳跳舞吧，天冷，跳跳就暖和了，再說，這麼早就睡下也睡不著。

想想也是，就跟她上樓去跳舞。但我平時並不很喜歡跳舞，跳了兩曲我覺得沒興趣就找

個地方坐下來聽音樂，林紅卻是曲曲不漏，從頭跳到尾，反正每曲都有人請她。看到她跟別的男人跳舞時那種投入又貼身的樣子我心裡真不是滋味，中途我便早早退出回房間睡覺了。

同房的那人在看電視，電視也是粗俗低級的玩意，我沒興趣看，倒頭便睡，大約是一路上也很疲勞了，很快就睡過去了。

不知睡了多久，迷迷糊糊中覺得旁邊還有個人，我睜眼一看，竟是林紅。我以為是在作夢，忙一下子坐了起來。林紅立即伸手把我按住，用被子蒙住我說：

「是我，我是林紅。」

我問她是怎麼進來的，她說門沒關就悄悄溜進來了。

拉開被頭往外看，屋子裡黑漆漆的，但從外面透進來的微弱路燈光中可以看到同房的那位旅客已經睡下了，我心想他這人可真粗心，竟然連門也不閂就睡了。

我擔心別人會來查房，叫林紅上樓到自己的房間裡去睡，林紅不肯，說沒事，這麼冷的天誰會來查房啊，再說我們又不幹什麼，查著了又怎樣。

我說了她幾句，她仍不聽，我也只得由她了，又迷迷糊糊地睡了過去。

不料到半夜果然有人來查房，當我醒過來時聽到房門上的鑰匙在響，我立即跳起來叫了一聲：「媽的，糟了。」

幾乎與此同時，屋子裡的電燈被服務員拉亮了，幾個保安人員闖進來問我這是怎麼回

事？我一時什麼話也說不上來，扭頭看看旁邊假裝還在睡著的林紅我真恨不能一下把她掐死。

「起來起來，別裝死了，起來跟我們走一趟。」保安人員過來用電筒拍著林紅的屁股說。

「嘿！幹什麼你，」林紅一下子從被窩裡跳起來對保安人員吼道：「你拍我屁股幹麼，你想耍流氓呀你。」

「別激動，別激動，起來我們到樓下去說。」保安人員說。

「去哪裡？去樓下？」林紅重新躺下，說：「我不走，我又沒犯法幹麼要走，別以為戴個盤盤帽就可以嚇唬我了，哼！」

我走下床，一把將林紅從被窩裡拖出來，說：「閉上你的嘴巴，走，下去！」我的力氣很大，林紅一下子被提到了床下。她不解地看了我一眼，然後穿上了鞋子。

一到樓下值班室我便老老實實把全部情況作了個說明，保安人員似乎沒有懷疑我的話，但當他們問林紅要身分證和工作證時，他們不由對我的話重又起了疑心。

林紅說她沒有身分證也沒有工作證。

保安人員把臉轉向我，許久沒有說話。

過了一會，保安人員說：「你叫我們怎樣才能相信她是你的未婚妻呢？是不是要我們給你的單位掛個長話？」

「不！」我立即叫了起來：「不不，單位，單位不瞭解情況。」

「你單位不瞭解你的情況?」保安人員更疑心了:「你單位不知道你有一個未婚妻?」

真是欲蓋彌彰,越塗越黑,我真不知道該怎樣才能把問題說清楚。林紅卻在一旁冷笑,也許在她看來,我的軟弱太無必要。果然,她突然冷笑道:

「你跟他們囉這些屄嗦幹麼?你就直接告訴他們,你是嫖客,我是娼妓,不就結了?」

顯然,我又一次被逼到了忍無可忍的地步,我揚手就給林紅一大耳巴,林紅頓時捂著臉蹲了下去。當她重新抬頭看我時,我看到她的嘴角上流出了血。

我似乎仍不解恨,衝上前想再抽她,但被保安人員攔住了。我怒不可遏地罵道:

「叫妳別下來別下來,妳偏偏不聽,在家天天睡妳還嫌不夠?看回到家我不日死妳!妳這不要臉的,妳可以不要臉,但我要臉……」

保安人員制止了我,另一個人把林紅拉開了,他們把林紅帶回了她自己的房間。

待一切重新安靜下來之後,保安人員說:

「這樣吧,我們念你是個讀書人,姑且相信你的話,也饒過你這一次,這次我們就不把你們交送公安部門了,按罰款處理算了,你看怎麼樣?」

「罰多少?」我問。

「按最輕的吧,罰一百塊錢算了。」

「一百?」我驚異道。

「怎麼？一百你還嫌多呀？」保安人員說：「要送你到公安局呀，沒有五百、一千塊你別想出來，我們是看你這樣子也不像社會上的人，念你可憐，才按最輕的罰你，還嫌多呀，那我們可不想管了。」

我明知他們在敲詐我，但又擔心萬一他們真的把我和林紅交送公安，事情可就越扯越大也越來越難以說清了，於是我自認倒楣，交了一百塊錢罰款。

收了錢，保安人員說：「下次可得當心啊，再讓我們逮著，就不好說話嘍！」

回到房間，同房的那位旅客說：

「喂，朋友，你膽子可真大呀。」

我說林紅真是我的未婚妻，我們都同居差不多半年了。

「你騙誰呀朋友，你騙我可騙不了，我一眼就看出她是個妓女，絕對賣屄貨，這些人我見得多了，你可別想騙過我。」

我啞了。

4

一大早，我和林紅便到汽車站排隊買去T縣的車票。真是莫道君早，更有早行人，我們到車站時，車站裡已排了一個長龍隊了。

我叫林紅在一邊看守行李，我去排隊買票。快接近售票窗口時，我瞥見林紅正跟一個男子在說笑。待我買好了車票走過去時，那男子卻走開了。我問林紅：

「妳的熟人？」

「不，」林紅坦然道：「昨晚跳舞剛認識的。」

我張開口似乎還想再問點什麼，但突然又覺得一切都無須再問了。我沉下臉來，提了行李往候車室走。到了候車室，才發現林紅並沒有跟上來。我心裡立即意識到她可能跟那男子有約了，便迅速返回售票廳，卻見她仍蹲在原處，眼裡淌著淚水。

我楞了楞，問：「是我對不住妳了嗎？」

她搖搖頭。

「那是為什麼？不想跟我回老家了？」

她又搖搖頭。

「身體不舒服？」

「不！」她哭著衝著我叫道：「我受不了，我再也受不了，我要回家，回我自己的家，你買票送我回去。」

車站裡立即有許多人圍過來看我們。我一時羞愧得無地自容。在K市我有許多的同學、朋友和同鄉，我擔心被熟人看見，怕他們看見我正和一個叫人一眼就能看出是妓女的女人糾纏在一起。

我拖起林紅就往候車室走。她先是掙扎反抗了一下，最後便順從了。到候車室時，她再也不提回家的事了。

不一會就開始驗票上車了，我又拖著她上了車。此後一路順利，下午四時，我們抵達了T縣。

T縣的格局就更小了，這裡再也看不到任何大都市的跡象，與其說是一個縣城，還不如說是一個古老的小鎮，街道既窄狹古舊，兩旁櫥窗也破爛而擁擠，我想這樣的地方，於林紅來說是更加不能適應了。

我吸取了昨晚的教訓，一下車，便直接去找一家親戚。那親戚住在街邊，幸好，他們恰恰也在家。我給他們介紹了林紅，又說林紅忘了帶身分證來，住宿不方便，請他們安排一下

住宿。親戚說沒問題，家裡有的是住處。我們便放心住下了。

從縣城到我老家，還得走四十多公里的公路和十多公里的山路，所以我回一趟家確實非常不容易，平時也很少回來。而現在已然抵達了縣城，這就彷彿到了自己家門前，心裡巴望著早一點跨進家門去。於是放下行李我便跑到車站購買明天往家鄉的汽車票，但汽車站早已關門閉户無人售票，我心裡很著急，擔心明天買不到去家鄉的車票。回來告訴親戚，他說，有沒有票是一回事，現在恐怕是有沒有車的問題了，今天都二十九了，明天就是三十夜，恐怕不會有車了，我一聽，心中更慌了。

林紅倒好，一切有我安排，她什麼也無須考慮，一到家就和親戚的朋友們在屋子裡打麻將，我想這也是唯一能使她暫時忘記旅途勞頓和煩惱的辦法了。

吃過晚飯我獨自到T縣中學去拜訪了幾位老師，我曾在此度過了兩年中學生活。但回來時我十分傷感，因為一位曾經待我非常好的英語老師在兩年前得病死了，是腦溢血，另外的老師調走的調走，升官的升官，沒有走的依然老樣子，卻並不怎麼記得我了。

我一到家林紅就大發脾氣，說我去跟過去的老情人約會，所以才背著她，她問我是不是這樣？我說是。她便哭，一種純粹潑賴的假哭。

我對林紅越來越失去信心。我想人真怪啊，當初我覺得她是多麼溫柔可愛，多麼體貼人關心人，現在怎麼覺得她完全判若兩人了呢？是我的判斷失誤？還是她本來如此而以前一直

是偽裝？或者由於我的態度改變而導致她性情的改變？我想不出個結果來。當天晚上，我怎麼也睡不著。到下半夜，就聽到窗外彷彿下雪了。

第二天起來推門一看，果然大雪紛飛，外面一片茫茫銀色，街上幾乎沒有行人，只有厚厚的積雪。我的精神頓時垮下來了，我想這樣的雪天不要說不會有汽車去我老家，就是飛禽走獸，恐怕也去不了啦。

親戚說，人不留客天留客，今年就和他們一起過年了。我說不行，無論如何得回家去，我已有許多年不曾回家過年了。

親戚一再挽留，我執意要走。吃了早飯，我便拉著林紅上路，我們決定走回家去，我估算了一下，就算我一小時走五公里，十小時也總能到家。這個速度和里程，對我來說並不成大問題，只是林紅恐怕有困難，但我叫她一定堅持下來，就好比現在我們是紅軍，後面有國民黨的追兵在追我們，我們得逃命，而我的老家也好比革命聖地延安，到了那裡就萬事大吉了。我們踏著積雪上路，剛出門時林紅還歡歡喜喜高高興興，她空著兩手，時而在前奔跑，時而拿雪球砸我，我叫她少瘋點，等一會就沒力氣了。果然，走了大約七、八里路，林紅便哭起來了，她說她再也走不動了。

「走不動妳就在這裡住吧，今晚有狼來和妳過年。」我笑著說。我身上背著那隻大口袋，兩隻手一邊提著一個小包，我也累得不行了，但我咬著牙，下決心今天無論如何也得趕

到家過年。

幸好我們在路上遇上一輛馬車，那馬車上裝了些穀物，我問車夫拉去哪裡，他說拉到前面的小鎮，我就問他願不願意送我到我老家，我可以給他高價錢。

那車夫大約四十歲左右年紀，樣子也有些寒酸，聽我說可以出高價錢，眼睛頓時一亮，他打量了我和林紅一下，問：

「就你們兩個？」

「嗯，就我們兩個，還有這包。」我說。

「你出多少？」

「你想要多少呢？」

他想了想，說：「今天可是三十晚了，叫花子也要過年哪。」

「我知道，師傅，所以這事我也很不好意思，不過……你看我們要走那麼遠的路……我還好辦，她是城裡長大的……你就可憐可憐我們吧，幫幫這個忙……」

「二十塊，咋樣？」

「二十？」我一聽高興得跳起來：「不，師傅，我給你三十元。」

車夫看了我一眼，說：

「好吧，等我到了鎮上，下了糧食再說。」

「好好好，行行行。」我連連點頭稱是。

我和車夫聊了一些家常，不知不覺就到了小鎮。車夫叫我們在路邊等他，他到小鎮上下了糧食就回來。說著他就趕車往鎮裡去了。

這時，林紅突然大罵我愚蠢，說人家只要二十塊，我幹麼給他三十塊，我叫林紅閉嘴，這不關她的事，林紅便說：

「好，我閉嘴，我不說了，由你吧。」

從此她不再說一句話。即使後來上了馬車，一路上她也默默無言，再不開口。

不一會車夫打馬過來，叫我們把包抬到車上，又安排我們坐好，才加鞭策馬前行。人大約比那幾袋糧食輕多了，那馬一路小跑著，倒也快。天空中仍有雪花輕飄漫舞，山野一片銀白，想著老天爺居然如此助我，不由情不自禁地唱起了一首蘇聯民歌〈三套車〉。

車夫高興地說：「呃，看不出哩小兄弟，你歌唱得還真不錯。」

我連說了幾聲謝謝，又和他海闊天空地聊了起來。

差不多下午五時，我們才走到了公路的盡頭，那是一個較大的村寨，再往裡走十公里山路，就到我的老家了。

下了車，我給車夫塞了兩張二十元鈔票，說：「不用找了，真不知該怎樣感謝你。」

車夫接過錢，楞了一楞，說：

「小兄弟，我不能要這麼多，你的心情我理解，真的，我理解，但我不能要這麼多。」

他給我找回十元，死活要塞給我，我執意不收。車夫很動情地說：

「小兄弟，我們今天，也算是有緣吧，帶你這一程，和你聊了這半天，我真長了不少見識，你是個有知識有文化的人，但看得出，你也不是那種很有錢的人，小兄弟你看得起我，我也看得起你，我們今天有緣相逢相識，相信以後還會見面的，這錢……呃，兄弟，我就多拿了……好好回家過個年吧。」

說完他轉身上車，揚鞭打馬而去。

我站在公路邊，看著他遠去的身影，心裡湧動著一股暖流。

馬車漸行漸遠，一會兒就消失在山坡那邊了。附近村寨裡也傳來陣陣鞭炮聲，年節已然來到了。

不知為什麼，我望著遠方的公路，怎麼也轉不過身來。直到許久以後，我才感覺到林紅在我身後輕輕哭泣，她說她錯了。我回過神來，背上大包提了小包招呼林紅往家鄉的小路上走。

一路上雪花飛舞，山色朦朧，景色美麗無比。

天黑時終於到家，家人正在吃年飯，開門見了我們，一下子驚喜得大叫起來。

「天哪！這該不是作夢吧？」

5

多年來我一直思考著兩個問題，一是道德問題，二是聖與俗的問題，但時至今日，我仍不能得出清晰的思路和明確的結論。

道德，這兩個字聽起來好像過於耳熟了，而在今天的人們看來，似乎也還嫌其有些刺耳。人們不再相信任何帶有傳統意味的說教，因而人們也厭惡這個詞。事實上，人類的行為一刻也不能離開道德的約束。不能設想，人一離開了道德的約束，那將會是怎樣的一種狀態？

問題似乎並不在於人類有無道德觀念，而在於我們究竟需要什麼樣的道德。什麼是道德？或者什麼是不道德？衡量道德與不道德的標準究竟是什麼？這些似是而非的問題確實令人頗費思索。

還有聖與俗，那也同樣困惑人心。什麼是聖？什麼是俗？聖與俗之間的界限何在？打個比方吧，比如人的性交行為，有人認為這種行為污穢和羞恥，這無疑是最大的俗，但反過來說，還有什麼比這一行為更令人類感到崇高和神聖呢？這無疑又是最大的聖。再比如聖人，聖人站在講壇上，給我們傳經布道的時候，我們無時不感覺到他的神聖，而當聖人走下講

壇，進入生活，也和俗人一樣，吃飯、喝水、拉屎、撒尿、性交……的時候，我們又無時不感覺到他的俗了。

每當我回憶起那年冬天我和父親在火爐邊談話的情境，我就會情不自禁地思考到上述問題。

父親是個老實巴拉的農民，沒有什麼文化，所以平時總以為他除了關心莊稼的長勢之外，再不會思索别的問題。但我顯然錯了。事實上父親對人生問題的思考遠比我深邃、成熟和深刻得多。而他對於人和事物的洞察力，也敏銳得叫我佩服得五體投地。

「……如果你在前面不小心跌了一跤，那也没什麼要緊，只要爬起來，拍拍身上的塵土，再往前走，就行。

「但你得看看你究竟是在什麼地方跌倒的，瞭解到究竟是什麼東西拌倒了你，下次再經過這地方，或者在前面的旅程中遇到同樣或類似的情形時，你就不至於再犯同樣的錯誤了。

「一個人一生犯一點錯誤，似乎是難免的，有了錯誤，改正它，糾正它，以後不再犯，那你不失為一個聰明人。但如果你老是犯同樣一種錯誤，你就未免太愚蠢和糊塗了。」

我知道父親是在很委婉地批評我對婚姻的態度。他顯然並不滿意我和林紅這種不明不白的關係。

「可是，我們的關係並没有確定下來，爸爸。」我爭辯著說。

「既然關係還沒有確定，你就不該帶她來，」父親針鋒相對：「你這成什麼了？亂搞！」

「可是……」

「你別說了，我知道你想說什麼。我也不想多說，只希望你能做一個有理想、有道德、有追求的人。玩世不恭是不行的，玩到頭來終究害了自己。」

之前，我瞞了家人，也瞞了父親，我告訴他們林紅在一家工廠上班，她是個很有上進心的姑娘。但奇怪的是，我這話連我那還在念小學的堂妹也不相信。

「哼，哥哥你騙誰呢？她可能是個幹部，但絕對不是個工人。」

林紅在我老家的表現確實叫我失望。鄉下的生活當然單調而乏味，而眾多的農活或家務，她彷彿也沾不上手，她不熟悉這裡的一切，這並不要緊啊，只要她忍耐一下，咬緊牙關克服眼前的困難，過不了幾天，我們就能重返城市了。

但她不是這樣，她說她怕悶。「悶死了悶死了悶死了。」她極不耐煩地說。

那個冬天一直下著雪，出門很不方便。她便把自己終日關在屋裡，自己跟自己玩撲克，抽菸，抽得滿屋濃煙滾滾，或者睡覺。到了晚上，她卻活躍得不得了，睡不著，挑逗我幹事，一當入軌，她便放肆地呻吟。鄉下的木樓都是不隔音的，她的放縱只能招來全家人的怨恨。

還有她那總說不清是什麼味道的眼神。也許是出於過去的職業習慣吧，她從來不是正

眼，而是一種不太好形容的側視。我指責她這樣看人不好，這眼神給人挑逗的感覺。

「我改不了！」她生硬地說。「明知我不好，你幹麼當初來找我。那時候你咋不說我不好，現在可是這也不好，那也不好，我真是一無是處了。我有什麼好，我本來就不好嘛，你不知道？我是個妓女！妓女有什麼好呢？」

我們的溝通越來越困難了。我們的思想、觀念都有了明顯的裂縫。唯一的共同點是性。當我在她的門洞裡猛抽猛插的時候，她才會柔情綿綿地對我說：「我不要你離開我，我不要，以前都是我的錯，是我不好。」也只有在這種時候，我才會忘記她曾經給我帶來的不快。

在那個白雪茫茫的冬天裡，我和林紅的精神與肉體的愛，就是這麼明顯地分離著。

6

有一天早晨，我聽到窗外傳來小孩子的歡笑聲，趕忙推窗往外看，原來天放晴了，雪開始融了，一群少年正在追逐玩耍最後的積雪。

母親在火塘裡已為我們燒好了早茶，我和林紅都喝了一碗，母親問我味道怎麼樣，我說不錯，味道很好，我許多年沒喝過這樣的茶了，真是懷念得很。母親便說，可惜你沒出息，

若有出息，就成個家，再把媽接進城去，到時媽就可以天天為你燒茶了。

我說，「媽，你別著急，會有這麼一天的。」

母親便問我和林紅什麼時候結婚？

「結婚？那可早得很，八字還沒一撇呢。」林紅說。

母親便嘆著氣，說：「我恐怕等不到那一天嘍。」

我笑著哄母親：「媽，別急，快了。」

但內心裡，卻感到心酸。在家鄉人看來，我大學畢業，留在省城，參加了工作，當了國家幹部，那日子是很甜美的了。而事實上我工資菲薄，收入可憐，入不敷出，連溫飽問題都還沒解決——當然，儘管如此，在生活保障上我仍比家鄉人好。而最要命的是，我既沒有房子住，就更談不上有溫暖的家，我連安身立命的地方都沒有，我在城裡的日子又怎麼能談得上好呢？

所以這些年來，我心靈空虛，精神漂泊；逃避崇高，追隨世俗；拒絕使命，隨風零落。我當然明瞭鄉人的企盼和期望，但現實令我如此不得志，只得由他去吧，管他呢，儘管墮落好了。

吃過早茶，外面的太陽更明亮了，雪也差不多化盡。我想這些天來一直關在家裡，今天該出去走走了。便邀了林紅，一道去爬山。林紅當然求之不得，我們沿著屋後的山脊走，一

直走到山頂，這才看到故鄉的全貌，其實也並沒有什麼特別，就是一些高高低低的青山，近處是山，遠處也是山，山上有樹，有風，有草，以及各種飛鳥野獸。我突然意識到生命的存在原來很虛無，我想在這個茫茫宇宙中，人確實猶如一粒塵埃，我們能給這世界帶來什麼？能創造什麼或改變什麼？不，我們什麼也不能做。那些妄自尊大者，如希特勒、史達林之流，以為自己有非凡的能耐，可以成為世界的主宰，而結果又如何呢？

到頭來還不依舊是一粒塵埃？

想到此，我覺得人能及時行樂，也算是一種大徹大悟了。

那麼，我帶林紅來又有什麼錯？我想起父親的教誨，覺得他的話雖有道理而我卻不能完全苟同。是的，我沒有理想，也沒有追求，但這並不是我的過錯啊。從近處講，是我們這個時代的精神造就我們的現實和命運啊，我們生長在一個浮華虛偽的時代，一個到處造假的時代，在這個時代裡，社會既不崇尚才能和智慧，也不尊重人的創造能力和行為，因而也不需要貨真價實的藝術，文學和思想，所有有個性的生命都不需要，只需要俗氣，只需要平庸，只需要抄襲，複製和模仿。在這樣的時代裡，還有什麼理想和追求可言呢？流氓就是英雄，僵屍就是榜樣，噢，一句話，時代並不允許我們以真生命的狀態而存在，那麼，作為一種複製品，我們又哪裡來的追求和理想呢？再說，人是什麼？人不就是宇宙世界裡的一粒塵埃？既是塵埃，便隨風而生，隨風飄忽，隨風消逝。噢，不，父親，不要說我沒有理想和追求，

而是我本來就不應有什麼理想和追求啊。

看著那遠處山頭上的積雪，還有那些層層鋪排過去的大大小小的山巒，我突然好像獲得了一點靈性，這種靈性在胸中劇烈震蕩，最後喚醒了我的老二：

「直起來！」它說。

我感到我的老二就要破褲而出了。看了看在一旁沉思默想的林紅說：

「呃，想什麼呢？」

林紅回眸一笑道：

「這地方真是個幹事情的好地方啊。」

真是心有靈犀一點通，看來我和林紅並非毫無共通之處。

「那就幹一回怎麼樣？」我脫下棉衣鋪在鬆軟的乾草地上說。

「好哇，」林紅也一下揪掉了裘毛大衣，說：「在這裡不會擔心有人聽見了吧？」

「不會了，妳放心叫吧。」

我用腳踩開周圍一片草坪，然後把衣服脫了鋪在上面，我們都赤裸著，一棵高大松樹的軀幹和密密枝椏擋住了太陽，但風吹草動，松葉在我們身上仍投下斑駁的影子。

我掰開林紅的兩腿，盡情欣賞她那水草豐美的溝河，我大笑道：「江山如此多嬌，引無數英雄竟折腰！」我看見林紅的溝河裡漲潮了，涓涓細流奔騰不息。我說我要幹死她，她說

她要夾死我。我笑道：「好啊，天是棺材蓋，地是棺材板，幹死了就埋在這裡吧。」

林紅一陣顫慄，她笑著罵道：「操你媽，你咋這麼叫人舒服。」我說：「日妳姐，老天爺怎麼叫妳長這麼個騷東西。」我們快樂地翻騰著，叫罵著，一步一步進入那輝煌的頂點。林紅突然像被人捅了一刀似的叫喚起來，聲音淒厲而尖銳。我拚盡全身的力氣猛抽猛送，接著我也彷彿挨了一槍停了下來。林紅扭曲著臉，樣子痛苦不堪，而我的樣子也一定很難看。

7

我恍恍惚惚沿著一條灑滿陽光的河岸向前走，河岸兩邊栽著整齊而美麗的楊柳，風吹動，柳枝柔軟搖擺，使人心曠神怡。

這是哪兒啊？記憶模糊，而我又覺得這地方非常熟悉。

河岸盡頭有一家書店，我走了進去，店裡的書琳琅滿目。居然有《野火集》，這正是很久以來我一直四處託人購買而終未買到的書，作者為台灣一代名作家龍應台，我仰慕她的大名已很久了。現在終於買到了這本書，真叫人高興，我想明天去濟南的路上就可以有書來打發寂寞的旅程了。

回到旅館，雯已在屋裡恭候多時了。

「你去哪裡了？這麼久，也不告訴我一聲，害人家在這裡苦等。」

雯幫我脫下外衣，她說我的身體都涼了，小心感冒。果然我感覺到周身寒涼。

跳上床，拉過被頭蓋住身子，但仍覺得寒冷。雯說她上來跟我暖暖，我說：「來吧。」

雯問我男人們怎樣知道對方是不是處女？怎樣鑒別？

我覺得奇怪，雯怎麼會問這個問題，我心想，難道她已不是處女了嗎？

「落紅啊。」我說：「看看有沒有落紅啊。」

「要沒有呢？」雯問。

「一般都會有的，要沒有，就有問題了。」

「這可不一定啊，書上說，有些人是在運動時弄破了，有些人則天生是沒有的。」

「噯，雯妳怎麼啦，妳是不是原來跟別的男孩子有過那種關係呀？」

「沒有啊！」雯嗔怒道：「你咋懷疑我呢，我可是從來也沒有過任何男朋友啊，你是我的第一個男人，懂嗎？」

「那妳幹麼擔心這個呀？」

「我是怕萬一麼，萬一不落紅，咋辦？你難道就不相信我了？」

「那當然，不落紅我是要懷疑的。」

雯頓時沉默了。

不一會，我彷彿聽到被子裡窸窸窣窣響，我揭開被頭一看，原來雯在脫自己的衣褲，露出一個赤身裸體。我的頭腦頓時一陣發熱、發脹、發麻。「妳這……這是幹什麼呀雯？」

「請你檢驗。」雯淚流滿面地說。

我捧起雯的臉，吻她的淚水，又吻遍全身，她陣陣顫慄，淚水長流。雯無疑是我一生見過最美麗的姑娘，我愛她，我想娶她為妻，但此時我還不能夠。我激動萬分地吻著她，喃喃說道：

「雯，妳等著吧，等到妳我結婚的那一天……」

雯將頭緊緊偎在我胸前，流著淚說：

「哦，我愛你，愛你，請你快點來娶我……」

我感到冷。很冷。我睜開眼，看了看四周，這哪裡有河流、楊柳啊，哪裡有書店、旅館啊，又哪裡有我美麗的雯啊，只有山崗、野草和豐腴的林紅。媽的，原來是作夢。我很久沒夢見我的雯了，就是因為她，我才走出我原來的那個家，這當然是很久以前的事了，但我怎麼突然夢見她呢？怎麼又夢起我們第一次見面（也是最後一次見面）時的情景呢？我和雯的愛情是個悲劇，但這個夢無疑是一個好夢，我倒願意這個夢永遠作下去。但是，寒風吹醒了

我，此時夕陽已下山了，周圍山林的鳥雀也叫成一片。

我叫醒林紅，披上棉衣，我說：

「噯，過癮了吧，還想不想要？」

林紅笑道：「你還能再來，我就還想要。」

我也笑道：「好，到家再說，現在我肚子餓了，晚上我們再一比高低。」

我和林紅便互相拍打身上的野草，然後悠然走下山去。我這是過的什麼日子啊，我說的話，做的事，哪裡有一點知識分子的樣子啊，簡直是地道的流氓。然而僅僅在兩年以前，我可不是這個樣子啊。兩年前我有妻子，有女兒，有一個相對穩定的家，還有我自以為前途無量的事業，我寫呀寫呀，總是不停地寫，然後文章遍地開花，全國報刊雜誌到處發表，我出名了，被人譽為全國知名的青年作家。遠在山東某一小縣城的雯就是在報上見到我犀利的文章後給我來信的，那時她還只是一個高中學生，她的來信天真無邪，讚嘆由衷，而在我們之間的通信交往持續半年之後，我們漸漸發現那信件中的字裡行間已經有了一種格外的內容。當然我得承認，這樣發展的結果，起碼有一半責任在我，我卑鄙地對雯隱瞞了我的婚姻事實。雖然後來我告訴了她所有的真相，但可憐的雯已陷得太深了。以致於到後來我因出差北方而順路到雯所在的小縣城去看望雯時，她竟甘願不顧一切後果地向我展示她少女的身體。當然我沒有接受這份純潔無瑕的饋贈，因為我要對我所愛的人負責，而那時，我沒有把握負

這個責。離婚後雯又來信和來電叫我到山東去接她，但我沒有去，雖然那時我已離了婚，正過著艱難的單身日子。我之所以沒有去並非我背叛了雯的愛情，而是考慮到當時我還沒有能力去養活雯。我想一個人無論如何有理想有抱負，也無論如何的品德崇高，但在飢餓面前恐怕不得不屈膝變節。儘管別人認為我才華橫溢，文章遍天下，但面對每月百來塊錢的工資確實羞愧滿面。我希望雯能等我，等我有出頭之日。但雯彷彿看透了我，以為我不過是拿她作兒戲，她嫁人了，從此杳無音訊。現在我追憶這段往事，並不在於表白曾經我是個怎樣純潔的少年，或者悔恨當初竟會如此純潔，我只是不明白為什麼我會變化這麼快，短短兩年，短短兩年啊，我如今卻是如此墮落了，這究竟是怎麼回事？一個人從有愛到無愛或泛愛，其間的動機、目的和過程究竟是怎樣的？這些都太令人費解。

春節是請客吃飯的大好季節，我和林紅剛到家，就聽母親說，白天已經有七、八家親友來請我去吃飯了，我想又是去喝酒，沒意思，就說在家隨便吃點算了，吃了好早點休息，今天爬山也很累了。

當我說最後這句話時，看到林紅在掩嘴竊笑。我沒理她，準備架鍋熱剩飯剩菜吃。但鍋剛抬上火坑，堂哥老華就闖進門來了，說他們等我等了一天，我不去不行了。

看來沒法再推，帶了林紅跟堂哥老華走，到他家，果然見一屋子的客人都在等我，一見我，大夥都非常高興，都說我是他們的驕傲，在報上常見到我的文章，很引以為榮。又誇獎

了林紅一番，說林紅長得豐滿漂亮什麼的，林紅也很有些得意。

但就在這天晚上，出事了，林紅在堂哥老華家喝了一點酒，話便多了，可能頭腦失控，所說的全是那種不得體的話，弄得我很狼狽，當即罵了她幾句，沒想到她竟發起酒瘋來，到最後又哭又笑，鬧得一塌糊塗。那晚在親友面前真是出盡了醜。

晚上回到家，我一個勁給林紅灌濃茶水，我想等她清醒一點後再好好收拾她、教訓她，卻不料怎麼也弄不醒她，到後半夜，她竟發起高燒來。

第二天，她竟下不了床了。

8

人一生起病來，是最可憐了。見著林紅幾天不吃不喝口乾舌燥、頭昏眼花的樣子，我心中很是不忍，以前對她的種種不滿似乎也勾銷了許多。我天天偎在床前服侍她，給她四處求醫找藥。為此林紅感到不安，她說她不該跟我來，一則盡給我添麻煩，一則給我丟了臉，很不該的。俗言好話一句三春暖，聽到林紅這麼說，我倒覺得是我對不住她了。

在那些漫長的冬日裡，圍在火爐旁聽她講她童年的故事，講她的墮落史，風流史，奇怪

的是，她的那些醜惡過去不僅沒有引起我的反感，反而引起了我的興趣。

就是在那時候引發我正式萌生寫一本關於女性犯罪的書，我覺得我有興趣也有義務和責任來寫那麼一本書。這本書最後也兌了現，書稿後來由北方一家出版社予以出版，書名就叫《風塵》，這本書總印數十萬冊，算暢銷書了。

這本書給我帶來了六千塊錢稿費的好運，但我當時根本沒想到，這六千塊錢竟是取之於林紅也用之於林紅了，為了這六千塊錢，我付出了過分慘重的代價。這是後話了，不提。

在那個冬季裡，由於林紅生了病，我和她之間的情感似乎又增進了一層，原來曾打算在適當的時候與她分手的念頭也暫時被新的情感所掩蓋了。

一天，她很愉快地談論起我們第一次見面和第一次性交時的情境，我問她是不是一開始就打我的主意了？

「是的，」她說。

「為什麼？」我問。

「你性感啊。」她笑道。

「我性感？」我也笑道：「別開玩笑，我怎麼可能跟性感二字扯得上呢？」

「真的，你很性感。」

「見了我就想和我睡覺？」

「是這樣。」她補充說：「這不是我一個人的看法，葉梅、楊麗麗、鍾阿玲她們都這樣看。」

「那她們幹麼不找我睡覺？」

「你也想跟她們睡？」

「嗯，如果有可能的話。」

「那當然不可能。」

「為什麼？」

「妓女有條不成文的規定，不搶同行的生意，更何況，我們是好朋友，她們更不會搶了。」

「妳是說，妳僅僅是搶了先手？」

「先下手為強嘛。」

「那麼，如果妳不搶我，她們也會有人來搶我，是嗎？」

「肯定，毫無疑問。」

「誰最有可能來搶我？除了妳。」

「楊麗麗。」

「為什麼？」

「她開始以為你很有錢。」

「我有錢？」我攤攤手說：「這個妳們應該一眼就看出來啊。」

「是啊，從外表上看，你不像有錢人，但麗麗聽人說你很會寫文章，她就想你一定很有錢了。」

「寫文章的人有錢？妳們開什麼國際玩笑，現在寫文章的人都是無產階級啊，真正的無產階級。」

「麗麗原來的一個朋友，就是寫文章的，有錢得不得了，他包麗麗一個月，你猜給麗麗多少？你猜不到吧，三千！」

「那人在什麼單位？」

「沒單位，反正是寫書的。」

「寫作個體户？」

「不知道，聽麗麗說他很能寫，一天寫一萬字，專門有人上門來跟他約稿，供不應求，他文章還沒寫出來，人家就先把稿費數給他了，一次就是好幾萬。」

「噢，我明白了。」我想那人準是個所謂的「通俗文學」作家。

「那你當初搶我時，也是衝著我的錢來的？」

「是的，」林紅坦然承認，「當初確實只想騙你點錢來花。」

「妳在濱河公園的那次也是騙我的？」

「嗯，是，也不是，咋說呢？當時覺得你可以給陳艷如三百塊，我為什麼就不能跟你要一百塊呢？」林紅笑道：「不過，我也不完全是騙你，我說的情況都是事實。」

「只是錢不可能還我，對嗎？」

「對，不過我可以給你想要的東西。」

「什麼東西？」

「這個啊。」林紅抓起我的手往她懷裡伸。

「你怎麼知道我會要呢？」

「天底下恐怕會有那麼一兩個男人拒絕這個東西，但那絕不會是你。」

「為什麼？」

「我們都知道你剛離了婚，你又那麼健康，你會拒絕嗎？」

「那當初我不是拒絕妳了嗎？」

「你搞錯了沒有，是你拒絕我？還是我拒絕你唷？」

「那妳咋要拒絕我呢？」

「那時候你並不真心要我，你只是想戲弄我，耍我。」

「妳那時生我的氣了？」

「當然。」

「那後來咋又想開了呢？」

「我後來發現你人不錯，覺得你没我想像的那麼壞，就想開了。」

「我怎麼個不錯法？」

「你有同情心，吃得了苦，關鍵是，你不嫌棄我們這種人。」

「然後就覺得可以跟我上床了？」

「没那麼簡單，後來我是真的愛上了你。」

「什麼時候？」

「你到我家幫我刷房子的時候。」

「怎麼在那時候愛上我呢？」

「那時候，我覺得你的心地真的很善良，我渴望能有朝一日找到像你這樣的一個丈夫。」

「於是妳就想用那個玩意來套住我是嗎？」

「没有，這是兩回事。那時我給你是因為我愛你也需要你，但並没想到你可能會同我結婚。」

「現在呢？現在想不想跟我結婚呢？」

「想，很想。」

「妳没覺得配不上我？」

「我當然知道配不上，但你説你愛我。」

「這話妳也信？」

「開始不信，後來就信了。」

「為什麼？」

「因為……因為，因為你很尊重我。」

「妳是指幹那事的時候？」

「嗯。」

「以前妳遇上的男人不尊重妳嗎？他們怎樣待妳呢？」

「他們……他們很那個，就是……嗳，我説不出來，反正感覺著他們是在玩弄人。」

「哦，是這樣。」我笑道：「原來妳還很有心計啊。」

「你不要自以為聰明，你認為你聰明，那你就是愚蠢，你意識到自己愚蠢時，才算是聰明。」

林紅這話叫我吃了一驚，我不得不睜大眼睛看她。「這話是跟誰學的吧？」

「楊麗麗，跟楊麗麗學的。」

「唔，那還差不多。」我説：「如果妳没遇上我，妳打算怎麼辦呢？有没有想過去找一

份工作幹，重新做人什麼的？」

「想過，但想也是白想，找工作等於是作白日夢，好的工作人家不會讓我們幹，差的我們又不想幹，我後來就乾脆不想了，我想去海南，聽三三說，海南很好找錢，我想去找幾萬塊錢回來，就開一個小門面做生意。」

「三三是誰？」

「麗麗的妹妹。」

「我没見過啊。」

「她一直在海南。」

「我真不明白，她兩姊妹怎麼都幹這個？」

「這有什麼奇怪，在所裡你不是看到還有母女倆一起賣的嗎？這是不要本錢的生意啊，而且利大，女方也没有損失什麼，何樂而不為。」

「妳說女方没什麼損失？」

「當然，要說起來，損失也是有的，但你跟一個人幹和跟十個人又有什麼區別啊，你跟十個人幹跟百個人又有什麼區別啊。」

「虧妳想得出。」我笑道。

「你別假正經了，你心裡絕對也是這麼想的。」

我笑了笑，又扯回我和她的關係問題。

「妳現在就相信我一定會娶妳嗎？」

「不相信。」她說。

「不相信？」我驚訝道：「不相信妳幹麼跟我來？」

「我只是懷著那麼一點僥倖的心理來的，沒想到一出門，我們的關係就越來越惡化了。」

「這怪誰？」

「不怪你，也不怪我，怪老天爺。」

「放屁！」我說。

我給她餵藥，她吃了藥，順手抓住我的手，祈求道：「別拋棄我，好嗎？你不娶我也可以，我做你一輩子的情人，你叫我做牛做馬我也願意，行嗎？」

我推開她的手，去摸她的那雙豪乳，笑道：

「行啊，妳這東西那麼美，那麼好，我怎麼會捨得拋棄妳呢？」

又說：

「嗳，來幹一回怎麼樣，我好像覺得有幾天沒幹了。」

「行啊，」林紅抱住我的脖子，親吻道：「我隨時都願意為你服務。」

9

林紅病癒後，我和她到我的一個姑媽家去做客，拜年。我姑媽從小把我帶大，對我有很深的感情，但她一生命苦。她先是嫁給一個有錢人家，但那家男人從沒拿她當人，時常打她、罵她，後來日子實在過不下去了，她就離了婚。離婚後再嫁的一家，卻很窮，窮得連一床棉被也沒有。好在她男人心還善，人也老實，她也覺得苦中有甜了。

姑媽送我和林紅一段大花布以表心意，我先是死活不肯收，但經不住姑媽情真意切的相送，只好收了。到了回來的路上，林紅說：

「那花布也拿來送人，虧她拿得出手。」

為這話，我很氣憤，當即批評了林紅，指出她身上有一種很可悲的市民習氣，她不服，和我爭執起來，說什麼市民不市民，她是實事求是，尊重事實。「好，我相信妳說的是事實，不錯，妳確實很直率，但直率並不表示就正確啊，」我很氣憤地說：「按照妳的邏輯，我可以叫你妓女或婊子，這沒錯吧，這也是事實吧，但妳能接受嗎？」

林紅一聽這話，頓時紅了臉，不再說話。於是我又給她講了許多道理，告訴她怎樣做一

個有良心的人。我以為她會心有所動，没想到她最後的回答竟是：

「你別給我講大道理，大道理我比你還懂，比你還會講，說來說去，這些都是廢話，實際上我們的分歧在哪裡？在於你是個有教養的知識分子，而我是個没教養的娼妓。你說是不是？你別在我面前演戲了，回城去我們好好商量一下分手的事吧。」

我啞了。無話可說。

良久，我才說：「妳對分手有什麼條件呢？」

「還没想好，到時候會告訴你的。」她說。

回到家，我悶悶不樂，我想林紅說得或許並没錯，我可能是在演戲，是在騙她，如果我真的愛她，我會原諒她的一切過失和不足的，起碼在指出她的缺點時也會委婉一些，而不至於去揭她的傷疤，讓她難堪、痛苦。

也好，也好，當初或許只想借她那東西用一下，現在用完了，不想再玩了，物歸原主，退還給她，好好好，回去分手，回去一定跟她分手。

去她媽的吧，這個無知的娼婦！

但晚上回到家跟林紅上床的時候，我又不這麼想了，我想為什麼要分手呢？就這麼幹下去有什麼不好呢？

「嗳，妳不是說願意為我做牛做馬嗎？」我搖著林紅的身子說。

「你可是連牛馬也不讓我做啊。」林紅無限哀婉地說。

聽她這麼一說，我的氣又上來了，我突然罵了一句。

「媽的屄，賞妳臉妳還不高興，妳要討打才高興是不是？」

林紅一聽跳了起來，尖叫道：

「打呀，打呀，你打呀，你還沒打夠，你有本事把我打死在這裡……」

我氣得直咬牙，但還是忍隱著。我勸她別這麼高聲嚷嚷，家人聽見了不好。

「有什麼不好，」她依舊高聲道：「叫你們全村的人都聽到才好呢。」

她哭了起來，罵道：

「媽的屄，你要我的時候說盡好話，不要我的時候恨不能殺死我，你以為我是牲口哪，告訴你，我不信你那個邪，今晚你休想動我一根毛！」

我父母親聽見爭吵，走出堂屋來問我們是咋回事？為甚爭吵？又叫我們別吵了，三更半夜的，別人聽見了不好。

我回說沒什麼，叫他們別擔心，一會兒就沒事了。

林紅卻沒停下來，繼續邊哭邊罵。

我突然也哭了。我哭我的傻，哭我天底下大好的姑娘不去找，卻找來了這麼個淫婦、潑婦、惡婦。

林紅聽見我哭，就罵道：

「你別跟我演這種貓哭老鼠的把戲，你別給我裝假慈悲，老子才不相信你……」

我說：「請妳不要再鬧了好不好？」

「鬧！我就是要鬧！」林紅大聲說：「我要鬧個夠，鬧個徹底，你怕羞恥，我不怕，你要臉，我可不要臉，我是妓……」

「拍！」

一記巴掌重重地落在林紅的臉上。

「拍拍！」

又是兩記重重的巴掌落在林紅的臉上。

林紅突然發瘋一般嚎叫著向我撲來，兩隻手不停地在我臉上亂抓、亂打、亂舞。

梳妝鏡落在地上，碎了。

媒油燈也落在地上，碎了。

衣服、被子、床單也扯落一地。

林紅尖叫著，號哭著，聲音劃破了鄉村寂靜的夜室。

我父母及家人在外打門，大聲斥責我。但一切都没有用。最後是我一記重拳結束了林紅的嚎叫。拳頭打在她的肚子上，她頓時一句話也說不出來了。

我打開門，把家人放進來。大家看到我滿臉的血，都驚訝得不知該說什麼。

母親走到床邊看林紅，她在大口大口地嘔吐。我叫母親別管她，讓她死好了。母親流著淚，罵我：

「都是你，都是你，這麼孽障，都是你做出來的好事！你不要狂，她死了，怕你也活不了，要帶來給我們看，你就好好待人家，你不要帶來這樣作孽……」

林紅一直在吐，那晚上吐了好幾回，到第二天，還在吐，母親到村上把一個赤腳醫生請來，給林紅拿脈診斷，結論是：林紅懷孕了……

第三章
傷心城市

作為一名職業的社會科學研究工作者，大部分時間都用於閱讀和寫作。二者比較，讀書於我更有較濃厚的興趣，但寫作於我卻並不那麼在行。我時常感覺到每寫一個字，臉上就要增加一道皺紋。

儘管如此，我還是憑藉自己過人的勤奮，好歹混了個中級職稱。這一年我不過二十五歲，雖然在這個年紀裡功成名就的人也不少，但就大多數的情況而言，我能這麼早就得到個中級職稱，應該說在當時也算出類拔萃了。

我說過，我之所以能有這麼一點出眾，全靠自己的勤奮和努力。勤能補拙，同時也能彌補我的自卑。

說到自卑，我不得不多說幾句了，我想我一生的悲劇都繫於這兩個字。

我來自農村，祖祖輩輩均為農民，家境歷來貧寒，我自幼飽受飢餓、貧困和受人凌辱之苦。能考入大學、留在城市，對我來說都屬偶然。在這個偌大的省城裡，我舉目無親，無所相依。所以我總覺得自己不如別人。

我害怕城市，拒絕城市，同時也拒絕別人。因此我也不善交往，以致於時至今日我仍然沒有一個很要好很知心的朋友。對於城市或者城市裡的人，最大的體會和感受就是：恐懼。我平生信奉的人生哲學，是魯迅先生的兩句話：「躲進小樓成一統，管它冬夏與春秋。」

顯然地，我是屬於那種極端自卑的人。

世上萬事萬物，只要走入了極端，很可能呈現反面的性格和面貌。在我自卑性格的另一面就是自負和驕傲。

二十五歲便被破格評上了中級職稱，這確實使我產生了一種少年得志、春風得意的自負心態。

極端的自卑和極端的自負，形成我性格中的兩大悲劇因素。

2

市裡有關部門決定聯合召開一次關於「防範和打擊賣淫嫖娼問題」的學術研討會。李所長叫我和小周抓緊時間寫出數月前在婦教所所作的調查報告。但我的調查報告遲遲沒有寫出來，這確實使我傷透了腦筋。我和小周作了分工，他寫「問題與對策」部分，我寫「現狀與

原因」部分。作為「問題與對策」部分，我們已討論過，目前我們只能迎合官方的口味，按現行政策的方針來寫，這樣就簡單省事多了。儘管這種結論並非出自我們的真實想法，但畢竟也只能這樣寫。

而我的部分卻相當麻煩，表面看來，描述現狀和總結幾點社會原因並不困難，但真寫起來我才感到我們的調查未免太過於膚淺。妓女們的日常生活是怎樣的？她們為何以此為職業？賣淫的動機、方式有那些？等等等等，仔細深究起來，才發現其間大有文章，而我們的調查材料顯然遠遠不足。

禮拜二的研論會按期舉行。因我們單位是東道主，李所長叫我主持會議。我本不願意，但推辭不下，只得應允了。

我打電話把婦教所的楊幹也叫來了。一來我希望她能在會上介紹些妓女改造的情況，同時我也想藉此機會再向她請教些問題，以便補充我調查材料的欠缺。

但她很使我失望。在會議上，她始終一言不發，而會後我向她請教時，她卻說：

「無聊，真是無聊！」

「為什麼？」我問她。

「你問問那些妓女，她們會告訴你的。」停了一會，她又說：「我想你們至少應該通知一位妓女來參加你們的討論。」

她的話一時叫我難以捉摸，我不知道她是出於真心呢？還是只想挖苦嘲笑我一番！她只參加了半天的會就走了，連中午的會議伙食也不吃。

她真掃我的興。

下午我繼續主持會議。和小周分別介紹了我們調查所了解的一些基本情況，因有關領導在場，發言不可能全部真實，但沒想到即使是這樣簡略的介紹，仍使與會者大為驚駭。這些飽食終日無所事事肥頭大耳大腹便便的領導，大概平日裡足不出户，根本不知今日祖國日新月異的情況和面貌。

我和小周的那份調查報告最後還是沒有完成。我們打算藉著會議，聽聽各方意見，補強我們的報告。但兩天的會議一無所獲，就像打了兩天既不輸也不贏的麻將一樣。

會議開得不理想的原因在於我們邀請的對象多為領導，而這些領導文化水平不高，發言多屬空話套話，使大家耽擱了時間卻又得不到任何啟發。

我開始對我們的調查報告失去信心了，我想只要李所長不催促，便乾脆不寫算了，若實在催促得緊，也只能勉強寫一份大眾化的文字給他，敷衍了事。

日子一天天過去，李所長雖然並不催促，偶爾記起，也只是隨意問問而已。我便想這次轟轟烈烈的調查大概到此結束了罷。

不想突然有一天我接到了一個電話，正是這個電話，改變了我的這一想法，同時也改變

了我一生的生活和命運。

電話是婦教所的妓女陳艷如打來的。她說她業已期滿即將釋放，卻苦於無人保釋，同時也還欠著婦教所的伙食錢無力償還，問我能不能幫她個忙？

我問她所欠的伙食費是多少？

她說三百元左右。

拿著電話我沉默了一會。

她說如果很為難就算了。

我說好吧，什麼時候給妳送去？

她說如果可以的話就明天吧，明天上午十點鐘我在鐵門那裡等你。

放下電話我的心不由急促地跳動起來了，這倒不是因為我的調查有可能得以深入，而是我毫無把握該怎樣去弄三百塊錢。

三百塊錢對一般人也許並不算什麼，何況，陳艷如在電話裡說得很清楚，她是暫時跟我借一借，她說她在別處還有存款，出來一定能馬上還我。那麼，這確實不應該成為難題。

但於我確實是太難了。

儘管此時我已擁有一個所謂的中級職稱，但我全部的工資加起來，還不到一百五十元。這當中，每月得扣去四十元作為我女兒的撫養費，餘下的百把塊錢簡直不能對付這飛漲起來

的物價和生活。

說起來誰也不會相信，身為在全國社會學學術界還頗有一點知名度的我，卻時常是吃了上頓愁下頓，口袋裡經常空無一文。

那麼，現在我怎樣去弄三百塊錢呢？

當然不可能去偷，我没那本事。倘若能，或許我真的願意去偷。可惜我不能夠。

唯一的辦法是去借。

跟誰借呢？這也依舊是問題。

也是老天爺成全我吧，恰好這天下午，小周的女朋友范書真來找小周，不遇，卻在辦公室碰見了我。見我愁眉不展：

「出了什麼事了？」

「没什麼。」

她一直盯著我，很不放心的樣子。

我只好說：「我急需一筆錢，很需要。」

「多少？」

「三百。」

「能告訴我幹什麼用嗎？」

「不，」我說：「現在我還不能告訴妳。」

沉默。

過了一會，她問：「小周知道這事嗎？」

「不知道。」我說，「不過，他以後會知道的。」

「好吧，」她說，「我可以暫時借給你，不過，你得在近期內還我。」

「一個禮拜內我一定還妳。」我彷彿在海上抓住了救命的繩索，急切地向她承諾。

「那好，你給我寫收據，並請寫明下禮拜幾還我，一會兒我就送來。」

「謝謝！」我猛然間一陣激動，彷彿眼淚快要湧出眶外，我說：「太謝謝了。」

范書真到晚飯前果然給我送錢來了，她一邊把錢遞給我，一邊很認真地叫我給她寫收條。我立即唰、唰、唰給她寫了。她看了一眼，笑道：「不要見怪，我做事向來是認真的。」

「我也是。」

我從來說一不二，說到做到，決不食言。這是我為人的準則。我之所以能保證在下禮拜還她錢，是因為我相信陳艷如不可能騙我，而即使陳艷如騙了我，在一個禮拜的時間裡，我也有把握可以從別的朋友那裡借來還范書真了。

第二天一大早，便騎自行車給陳艷如送錢去。這可不是一次尋常的旅途啊。那天很冷，寒風刀子一般刮在臉上，地上結著薄薄的冰，騎到婦教所時，頭髮全結滿了冰花，我想陳艷

如見到我這模樣一定會大為感動，但我萬萬沒想到鐵門敲開後她接過錢轉身就走，連謝謝也不說一句。

我想追進去向她問個究竟，但又覺得似乎有些不妥，畢竟此番前來已不是調查，而是出於私人交往了。我楞在鐵門那兒，半天沒回過神來，覺得很晦氣，心想只要陳艷如出來，一定找她好好理論理論。

沒想到從此之後再也沒了陳艷如的任何消息。打電話給婦教所的楊幹，問她陳艷如幾時釋放的？釋放後去了哪裡？有關她的地址等等，楊幹說她什麼也不知道，只知道陳艷如早已被釋放出去好幾天了。

而直到這時，我還不相信陳艷如會騙我。仍巴心巴意等著她給我送錢來，她會來的，我想，她會來向我說一大堆感激的話，說不定還會和我好好睡上一覺。

可是一個星期過去了，還是沒有得到陳艷如的任何消息。而小周的女友范書真卻拿著我的收條準時來向我催款了。

「我相信你是個很守信用的人。」

我傻了。我完全糊塗了。我滿腦子的陳艷如，卻忘了我曾對人許下諾言。「很對不起，我食言了。」幾乎含著熱淚，我說：「有生以來第一次。」

范書真默默地看著我。我們坐在辦公室我的窩裡。

「再給我一天時間，行嗎？」

「嗯。」她點點頭，對我的表現非常失望。

我心裡明白，范書真實際上是很喜歡我的。這個身材高䠷，性格文靜而又長得十分漂亮的姑娘，我知道她一直對我充滿好感。但因她是小周的朋友，我從未產生過絲毫的非分之想。這也是我為人的原則。我的腦子裡偶爾會有邪念、淫念，但有一點始終堅持，那就是從不欺騙朋友。因此之故，我從未對范書真抱有任何幻想。

但范書真卻不這樣看，她不止一次地給我暗示，說她跟小周也是剛認識不久的朋友。那天她來辦公室找小周，我心裡明白，這是藉口，她是來找我的。小周家住師大，和父母住在一起，而小周除了禮拜二、五早上來上班外，平時都是在家裡的，她怎麼不上小周家去找，卻偏要到辦公室來找小周呢？

她當然也更清楚，我是以辦公室為家的人。離婚後我沒房子，一直在辦公室裡打地鋪。好在科研單位平時並不上班，我以辦公室為家，也還勉強可以維持下去。

那麼范書真來辦公室找小周，顯然只是個藉口。這一點，也還可以找到旁證，譬如那天她來找小周，見了我，卻不向我打探小周的去向。又譬如那天之後，她也並沒有去找小周，等等，均可佐證她那次來，完全是衝我而來的。

人非草木，孰能無情，事實上我對范書真也一直充滿了好感。當然我知道我是不可能跟

她有什麼結果的。除了堅持不欺騙朋友，另外一個原因在於我的自卑感。在我看來，范書真如此美麗如此純潔又如此高貴，是絕不可能真正愛上我的，而她現在對我的好感，或許只是一種好奇罷了。

事實上到後來范書真與小周也沒結果。她後來嫁給了一位流氓詩人，那可是真正地道的流氓，人們傳說他玩過的女人成千上百。又據說范書真婚後的生活一直很慘，逢人就打探小周和我的生活狀況。當然這是後話了，不提。

眼前的問題是去哪裡弄來三百塊錢呢？錢，錢，錢，他媽的錢啊，我感到我的理智在崩潰，我完全成了一條窮瘋的狗。

送走了范書真，一行淚莫名其妙地就流下臉龐來。我罵自己：「媽的，沒出息。」同時心裡升起一股怒火，陳艷如，狗日的陳艷如，找到妳我要日死妳，我要操破操爛妳的老屄，不管妳如何討饒，我決不寬恕。

3

有時候我極守一個知識分子的本分，勤奮好學，彬彬有禮。有時卻又覺得我像個地地道

道的流氓，不求上進，墮落腐化，野蠻粗俗，邪念盈腦。我想如果我將來在某一領域內有所成就的話，後人來為我立傳，或評價，也是頗感棘手的。記得好友文新曾給我作個如下評語，他說：「你有一半是惡魔，也有一半是天使。你擁有人類最為可貴的優點，也擁有人類最為可恥的缺點。」當時聽了他這句話，我的眼睛頓時亮了半天。

我說過，環境會改變人。人不是生來就壞，但也不能保證一輩子都是好人。我不是環境決定論者，但我確信環境的確會改變人。

我向來未食過言，但現在為了一個妓女，卻毀壞了我的信譽。這是為什麼？我不明白。在過去的生活中，我經常為借錢而發愁，但沒有任何一次如此令我惱火。因為三百塊錢對我來說，實在不是一筆小數目，而周圍的朋友，大抵也比我富不了多少。

生活逼迫我不得不再一次背叛自己的人生信條，而去充當一個騙子。當我最後想起朋友沈再宏可能拿得出三百塊錢時，我對他撒的謊是：我母親病了，現在急需一筆住院費，請無論如何暫借三百塊錢給我。而且我保證，不出一個禮拜即可歸還。

世上哪還有比孝子的故事更動人呢？朋友沈再宏當然義不容辭慷慨解囊。

還了范書真三百塊錢後，我鬆了一口氣。

「你應該把情況告訴我。」這是她對我說的最後一句話。

「不！」我語氣堅決地說。「這是我自己的事。」

我坐在辦公室靠椅上，看見她彷彿很生氣地把門帶上，出去了，長廊裡傳來她漸行漸遠的腳步聲。

當時我並沒意識到她的離去於我是如何慘重的損失。不，我心底裡壓根兒沒有她，我心裡只有陳艷如，妓女陳艷如。

接下來的日子我一直在到處尋找和打聽陳艷如的蹤跡。我想陳艷如如果還留在這城市，她終有一天會被我撞見。一當被我撞見，我不操死她才怪。

有一段時間我總是魂不守舍地出入於酒吧、歌舞廳、車站及賓館等場合，我堅信我終究會發現陳艷如的，她可能化了妝，但仍會被我認出來。

我在火車站那臭氣薰天的小巷裡打聽一家旅店，名字大約叫什麼寨旅店，我彷彿記得陳艷如說過，她在這城市的最初落腳點，就是那一家旅店，她說那旅店的老闆是她乾媽。什麼乾媽，我想那極可能是個鴇母，是第一個把陳艷如引向火坑的人。

問了許多人，他們都搖頭說這一帶沒什麼寨旅店。

人海茫茫，燈紅酒綠，而我於凜冽的寒風中躑躅街頭，我不明白這一切究竟是為了什麼。我真傻啊，真傻得透頂了，居然這樣地相信一個妓女。我想我真是傻得可以。

不相信陳艷如就這樣無聲無息地消失了。她一定會出現，她一定是去找錢了，她剛出來，沒有錢，她得重新去賣，當她找到了錢，她會來見我的，我想。

終於有一天，我在火車站附近找到一家叫做「香水寨」的旅店，我立即向店裡的服務員打聽，旅店的老闆是不是姓丁。服務員說是。我的心頓時一陣狂跳。這裡就是陳艷如曾提到的那個旅店。

旅店深藏巷內，為一幢舊木房改造而成。店內又髒又臭，這樣的旅店一望而知不可能有旅客來住，來者就是嫖客。

一個叫丁老八的中年胖婦出門來對我說：「你找誰？」她行走已極不方便，典型的舊時鴇母，我想看來電影電視的人物形象塑造也不盡是憑空想像，而確有生活原型。

我告訴她找陳艷如，我是陳艷如的同鄉。

丁老八全身上下打量了我一番，說：「你到公安局去找她吧。」說完很不耐煩地轉身就走。

「她什麼時候被抓走的？」我問。

「半年前。」

我楞住了。看來陳艷如並沒有回到這裡。

直到此時，我才相信陳艷如早已經離開了這個城市，她早就預謀好，一出來就遠走高飛，永不回頭。

走在回家的路上，我直笑自己：「好，好，你真是不錯，真是傻得不錯。」

有時我想，好友文新對我的評語似乎並不準確。不能説我的一半是天使，而另一半則是惡魔。應該説我兼有二者的稟性，但卻並不徹底。是的，我有流氓的特性，也有學者的修養，但我卻不能説是流氓的學者，或是學者式的流氓。事實上我什麼也不是，什麼也不像。我就像一種綜合了多種特徵的怪物。這一特點，使我從面容上看來，似乎玲瓏剔透，容易適應一切環境，但事實並非如此。在流氓面前，我不是流氓，而在學者面前，我又不是學者。這不能不説是我一生悲劇之所在。

從陳艷如那裡我得到了一點教訓，人也彷彿學乖了，沒事時便閉門讀書，再不想那些歪門邪事。

4

當然辦公室絕非讀書的理想場所。人來人往，人人都可以打開我的抽屜，窺探我的一切個人秘密和隱私。我甚至不能寫日記，也不能寫下任何表露心跡的文字。我也不能睡上一個安穩的覺。星期天是唯一可以作個好夢的機會，但這一天李所長的兒子總是很早就開門進來，他要在此做作業温習功課朗讀英語。

我實在渴望能有一個屬於自己的空間，那怕是三平方米的空間。但是不可能。這是絕不可能的。我深知這一點，也只有那些長期生活在社會底層的平民百姓們深知這一點。單位上不是沒房子，簡直多得很，有些領導或個人甚至住著幾套房子，而有些房子僅供他們堆放些雜物或出租給親戚朋友。這只是問題的一個方面。另一方面，則是我的離婚並不被人們同情，當初我明知婭並不適合我，卻還要奮勇結婚，而結婚不到兩年，又把人家給甩了，遺棄了，這就不會讓人們同情，相反地，人們覺得應給我以最嚴重的懲罰才是。深明此義，我不再作房子的美夢，也不期盼有人能理解我，同情我。

我想唯一可以改變我的命運的手段和途徑就只有讀書和寫作了。唯有大量閱讀，讀遍天下書籍，養成自己的博學和多才，然後再大量的寫，寫出驚世的奇文，一舉成名，才能出人頭地，為眾人所矚目，也才可能重新改變別人對我的成見和看法。

我太渴望成名了。為此一改往日的浮躁，靜下心來做我的學問。

離婚後我只剩下兩件家產，一是我睡覺用的折疊床，二是我的兩箱書。

打開箱子，找出很久以來就想讀卻又一直未能有時間閱讀的書籍，而一當看見這些舊物，才猛然意識到自己離學術已經太遠，也太生疏了。

去他媽的吧，過去的荒唐往事！去他媽的吧，我的性慾！去他媽的吧，臭屄陳艷如！還有我那可笑的所謂的調查報告，還有我那虛偽的同情心，統統去他媽的吧！

我的心情漸漸地平靜下來了。

這之後不久，我與別人合著的一部理論專著出版了，我得到了五〇〇元的稿費，這點稿費當然是太低太低了，但對我來說卻是雪中送炭。這也鼓舞了我甘於寂寞埋頭做學問的信心。謝天謝地，浪子終於回頭了，我想。

没過多久，我接到一個電話。這個電話才真正把我推向了悲劇的人生舞台。

電話是林紅打來的，她說她已出來了，很想找我聊聊。我問她有什麼事？她說没什麼，如果我很忙也就算了。我拿著電話沉默了半晌，然後我說：「好吧，下午兩點整，濱河公園門口見。」

放下電話我開始回憶林紅的形象，事實上我對她的記憶已有些模糊了，能夠想起的似乎也就只有她那雙奇異高聳的大乳。

不錯，人是理性的動物，但人的行為卻不盡是出於理性的選擇。我一生中許多重要而關鍵的轉折，常常都取決於某種無意識的心態。這就好比打麻將，有時我們深知按道理不應該打出某一張牌，偏偏卻又不由自主地打了出去，這一出手，結果可能全盤皆輸，從此兵敗如山倒。

我現在打出的牌是，去見林紅。

事實上她能告訴我什麼呢？她會給我帶來什麼益處呢！這顯然是很渺茫的。

後來經過挖掘、整理，我發現我答應去見見林紅的動機有：

一、幹她。我想這應是最不純潔也最明確的一種心理了。那時我剛離婚不久，性生活也已中斷半年多了。我二十五歲，有著旺盛的性慾。在這種背景下，我想大多數男人對女人都飢不擇食。當然我可以選擇一位純潔的少女，幹了她，然後跟她結婚。但問題是那時我剛從痛苦的婚姻中解脫出來，我害怕對任何女人負責任，而與妓女睡覺則可以不負這個責任。說到底，我的第一個動機，就是想佔便宜。

二、通過她去了解妓女的生活方式。這不過是為了滿足一種好奇心罷了，同時恐怕也是為了那篇沒有完成的調查報告，畢竟我和小周辛辛苦苦調查了大半個月，半途而廢實在有點可惜。當然，那時我還有一點非常陰暗而又很不可告人的卑鄙想法是，寫一本關於當代中國暗娼生活的書，我想這本書一定會暢銷，暢銷則可以給我帶來較好的經濟效益，而我則也可以從此告別貧困。事實上，這一想法從一開始就有，從選擇這一課題作為研究對象那天起，就有，所以後來我在婦教所搞調查，明明調查得差不多了，卻要賴在那裡不走，為什麼不走？無非就是想多了解一下妓女們的生活罷了，或者就是想多與她們建立聯繫，以便日後加強交往，從而獲得最真實可信的材料。事後我想，這種想法確實卑鄙，而且可恥。這無疑是借別人的痛苦，來養自己的肥腸。

三、通過林紅找到陳艷如。我還是念念不忘陳艷如，這可能不僅是為了那三百塊錢，而是為了一口氣，我覺得自己受愚弄了，而且被一個妓女愚弄，我不能忍受這個事實，希望能找到她，然後恢復我的自信。

真他媽的卑鄙，我罵自己。

而我居然沒有想到，林紅的動機也並不純潔。

5

林紅看上去並沒有太大的變化，她依然豐腴而性感，只是身著了一套極普通的藍色運動裝，使之顯得更加精神、樸素，她既沒有重施粉黛，也沒有表現出明顯的哀傷或喜悅，彷彿在她過往的人生歷程裡，並沒有什麼值得她深感榮耀或慚愧的經歷。

我老遠就把她認出來了。儘管我是準時赴約的，而她卻提前等候在公園門口那兒了。我看見她身邊還有另一位女子。

「妳們好！」我對她們招呼道。

「你好。」她們也作了回應。

「這是小七妹，我的朋友。」林紅給我介紹那位陌生女子。

我衝她點點頭，說：

「七妹現在哪裡發財啊？」

小七妹笑道：「發什麼財啊，待業青年，在家閑著唄。」

「噢，」我向公園管理處買了三張門票，然後我們一同進去，邊走邊聊。「那可有時間做大生意了。」

說這話時我覺得自己很虛偽，其實我心裡想的是，媽的，又是一個賣屄的。

我看了一眼小七妹，發現她過分的嬌小瘦弱，心想，妳可是賣不了什麼價錢啊。

但她化了妝，臉上顯得比林紅有生氣。

「出來多久了？」我問林紅。

「上個禮拜。」

「妳們那一批都出來了？」

「嗯，差不多了。」

「沒有誰被判刑吧？」

「沒有。」

「楊麗麗呢？」

「她早出來了，你們回來没幾天她就出來了。」

「鍾阿玲、顏如月、姚小佩、葉梅她們幾個呢？」

「鍾阿玲和顏如月也比我早幾天出來了，前天在月光歌舞廳遇見鍾阿玲，看來她還是幹老本行，顏如月據説去廣州找她那位馬遠飛去了。葉梅在你們走後没多久就跑了。」

「跑了？」我吃驚道：「怎麼跑的？」

「陳幹帶她和邢正仙、寧小琴她們幾個到後山種菜，葉梅就假裝去那背一點的地方解個小溲，結果一去就不回來了，等陳幹發覺去追時，早已不見葉梅的影子。」

「後來没找著？」

「没有。」她笑著説：「別人都説陳幹是有意放她走的，她們説她和陳幹早就那個了。」

「那姚小佩呢？」

「死了。自殺。」

「死了？」這使我著實吃了一驚。「怎麼回事？」

「不清楚，」林紅語氣平淡：「這事直到現在也没弄清楚。幹部們説她是自殺，説是吃藥死的。為什麼要吃藥，吃什麼藥，幹部們都没有講。我們也不敢問。只曉得她是半夜被人抬走的，來了一輛救護車，後來就聽説死在醫院裡了。」

「那裡怎麼會有毒藥呢？她怎麼可能弄到毒藥呢？」我大為不解。

「我們也覺得奇怪，大夥都懷疑是老趙搞她的鬼，但都不敢講。」

我一時沉默了。時隔不久，那裡邊卻發生了許多令人不敢相信的事情，真叫人感慨萬千啊。

時令已是初冬。公園裡的樹木，葉子落盡，露出光禿禿的枝丫。園內的遊人也稀少了。我們在一家兒童遊樂場裡停下步來，她們找一排木椅坐下來休息，我卻面對那些遊樂設施，懷想起我的寶貝女兒來。那時我也曾有過歡笑和快樂，我時常在星期天帶女兒來這裡玩，女兒的笑聲彷彿仍在耳畔回盪，而如今她被她母親送回鄉下去了，婭為了報復我，不讓我見女兒，把她送到了那遙遠的鄉下外婆家。

我一陣難過，眼睛情不自禁的潮濕起來。人生究竟怎麼回事啊，我們究竟能在多大程度上可以主宰自己的命運啊。

「哎，你是不是不舒服？」林紅問我。

「沒什麼。」我說，「有點冷。」

這時我突然對一切都失去了興趣，包括對林紅懷著的那一點卑鄙的欲望。

「那我們回去吧。」小七妹說。

「好。」

說著我和她倆一道往回走。

「你今天好像不大開心啊。」林紅問我。
「沒有啊，」我笑道：「妳怎麼會覺得我不開心呢？」
「別騙我們了，」小七妹說：「你的臉色可不太好。」
「是嗎？怎麼樣，有血色了吧。」我說。用手搓了搓臉，笑道：「哎，妳們兩位約我出來，不會一點事也沒有吧，是不是想找我幹那事哇，我可是沒有錢的噢，白幹妳們不會幹吧？」
「哎，」小七妹笑道：「你這人講話咋這麼粗俗唷，林紅給我介紹說你是個知識分子，想不到你也這麼下流哇。」
「我下流？」我依舊嘻笑道：「我是不是被妳教壞了？」我面向著林紅。
「別開玩笑了，」林紅說，「說正經的，今天確實有點事想找你幫幫忙，不知你答不答應？」
「什麼事呀，別這麼嚴肅嘛，我能幫的我一定幫，好，妳說吧，什麼事？」
「借錢。」
「借錢？」我心想，又來了。「多少？」
「一百塊。」
「嗯，一百塊，這倒不多。拿來幹什麼？」

「交伙食費。」

「婦教所的？」

「嗯。」

「噢，這忙幫定了。一百塊，小事。」我說。「不過，妳也得幫我一個忙啊。」

「什麼忙？」林紅問。

我湊近林紅的耳朵邊，低聲說：「能不能陪我睡一夜啊？」

林紅一把推開我，笑著說：

「那可不行！」

又說：「我要賣也不能賣給你啊。」

說著她拉著小七妹快步走開了，留下我傻乎乎地楞在那裡，半天沒回過神來。

6

我確信人的命運在很大程度上是由偶然性因素決定的，雖然偶然性寓於必然性之中，但徜若沒有若干的偶然，必然就不能成其為必然。

我是在一個偶然的機會裡遇上小周和楊麗麗的。那天我一直在家閉門讀書，突然心血來潮想上街走一走。就不知不覺的走到了大十字。那兒有個大書店，我想藉此去看看有什麼新書沒有。而就在我正要走進書店的時候，耳邊突然傳來一個十分熟悉的聲音，我扭頭環顧四周，卻並沒見到我所熟悉的人。後來那聲音再次響亮起來，我才尋聲而發現了小周和楊麗麗。當時他們正在書店門口的那家磁帶店裡選一盤什麼磁帶，我看見楊麗麗的手是摟在小周的腰上的。

腦子裡迅速閃過一個問題：是迴避？還是迎上去？

又是下意識把我推到了他們面前。

「好哇！你們。」我拍著小周肩膀說。

小周回頭一看是我，說：

「嘿，怎麼會那麼巧，我們剛剛還說到你呢。」

「嘿，你好。」楊麗麗衝我笑道。

經過精心裝飾化了妝之後的楊麗麗面容顯得更加光潔透明且神采飛揚。她穿著一件灰白色的加厚羊毛衫，一條黑色健美褲，配一雙紅高跟鞋，看上去雍容華貴而又富態大方。

「你們說我什麼壞話了？」我問。

「沒有，」小周說，「我們只是才聽說你不幸的遭遇。」

「不幸的遭遇？」我說：「此話從何說起啊。」

「聽說陳艷如騙了你三百塊錢？」

「是啊，」我說：「你們怎麼知道，聽誰說的？」

「麗麗啊，我聽麗麗說的。」

「妳聽誰說的啊，麗麗？」

「嘿，我聽誰的，我聽我說的噢。」楊麗麗曖昧地笑道：「你騎自行車給她送錢去，誰不知道哇，我們一班人都誇你精神太可佳了。」

我臉紅了。壓低了聲音，問：

「妳有陳艷如的消息嗎？她現在哪裡啊？」

「嘿，我說，你有沒有搞錯，人家可是把陳艷如交給你的，你咋來問我要人？」

「別開玩笑了，」我懇求的說，「有她的下落，告訴我一聲，好嗎？」

「好啊，我告訴了你，有什麼好處呢？」

我心裡想對她說：為妳服務啊，陪妳幹一夜到天亮啊。但我嘴上說的是：「妳想要什麼好處呢？」

「這麼慷慨呀，我想要什麼你就給什麼呀，真的捨得？」

「我能有什麼捨不得的，我除了這一身骨頭，我還能有什麼呢？」

「你這身骨頭可是很值錢噢。」說著楊麗麗很職業化地拋給了我一個媚眼。這時小周不高興了，插進來說：「哎，怎麼回事啊你們，大街上的噢，可當心一點。」

我看了看小周說：「好，不打擾你們了，你們忙，我去裡面看看書。」說著往書店裡走去。

小周說：「哎，看什麼書啊，我們一道出去玩玩，好不好？」

楊麗麗也說：「真的，我一直想找你聊聊，剛才還和小周講到你，說這些日子不見你，不曉得你都在幹些什麼，跟誰玩，想不到說曹操，曹操到，就遇上了，既然那麼難得，何不一道去找個地方吹吹？」

「吹什麼吹啊，會妨礙你們。」我說。

「哎，什麼話啊，我們也還不是剛剛遇上的？」

「別騙我了，」我說，「看你們這副親熱勁頭，誰信你們是才遇上的啊。」

楊麗麗過來拉住我的手，又過去拉住小周的手，說：「我們可是老朋友了，是不是？」

我只好跟他們走了。

走上了大十字人行天橋，我問：「去哪裡玩啊？」

「去雲都，咋樣？」楊麗麗說。

我知道雲都就是雲都大飯店，是本市最豪華最富麗的一家酒店。

「那可要先說清楚噢，」我說，「我今天可是只有十塊錢巴身的，去可以，誰當東？」

「那當然是麗麗。」小周說。

「開什麼玩笑，」楊麗麗笑道，「我可是從來都靠男人養活的噢。」

「今天破例。」小周笑道。

「不，」楊麗麗說：「這個破例不得，再說，我今天身上也沒帶錢。」

「那玩什麼玩？」我叫了起來。

於是大家都沉默了。

稍後，楊麗麗嘆了一口氣說：「跟你們這些文化人在一起，真掃興，你們不覺得臉紅嗎？」又說：「哎，我都替你們感到害臊啦。」

小周看了我一眼，說：

「是啊，他媽的，這年頭，人窮志短哪！」

我們在大街上漫無目的地遊走。儘管冬日風寒，街上仍有不少行人。看著那些衣著入時來往穿梭的人們，我忽地生出一點厭世感來。

「沒意思，真他媽沒意思。」

「你認為應該幹什麼才有意思呢！」楊麗麗笑著問我。

我看著她的臉，說：「妳說呢？」

「睡覺？」她說。

「對，」我說：「基本正確，但還不夠準確。」

楊麗麗掐了我一把，笑道：「呃，想不到，你會這麼壞唵。」

小周看了我一眼，問：「最近都幹了些什麼噢？」

「我還正想問你哩，」我說，「幾個月了，居然不來會個面，老實給我坦白，是不是天天陪著楊麗麗，寸步不離的？」

「你說什麼呀，」楊麗麗又掐了我一把，「你把我當什麼人，少女呀，跟他談戀愛呀，我才不稀罕他陪我呢，呃，你還差不多。」

「真的？」我對楊麗麗揚了揚臉。

「誰跟你開玩笑啦。」她笑道。

「那好，」我說：「咱們現在好好找個地方聊聊去。」

「又來了不是，剛剛叫你去雲都你不去，現在又有興趣了？」

「幹麼非去雲都啊，別的地方不行嗎？」

「別的地方？行啊，你說，去哪裡？」

「陽光怎麼樣？」

「不行，太背了。」

「海關？」

「更不行，那地方壞人多。」

「僑誼？」

「不行不行，那地方全是我的熟人。」

「那沒地方了，到我家裡去吧。」

小周見我們說了這一大堆廢話，就拍拍我的肩膀說：「別無聊了，你們光說不幹，有什麼意思。真想幹那事，哪裡不可以呀，這大十字裡也可以，我看。」

我們在一家食品店前停了下來，小周抬腕看了看錶，說：

「林紅她們也該來了哇。」

「她們會來的，別著急。」楊麗麗說。

「林紅？」我糊塗了，我突然明白他們原來事先有約，卻不明白他們所約為何？去幹何事？為何瞞我？「呃，小周、麗麗，你們幹什麼呀你們，耍我呀？」

這時一輛紅色「的士」剛好開過來，停在我們身邊，車裡坐著的正是林紅和小七妹。

楊麗麗拍了拍我的肩膀，笑道：「對不起，下次一定滿足你，這次有人先約我了。」說完麗麗拉開前面的車門鑽了進去。小周也鑽到後排的座位上。「林紅。」我突然衝動地叫了一聲。

林紅瞟了我一眼，彷彿不認識似的，又回頭對司機說：「走吧。」車子便一下子滑過了大十字。

我孤零零站在路旁，心中直問：怎麼回事?怎麼回事啊?

7

這之後不久的一天，我正在辦公室屬於我的天地裡讀閒書，突然電話鈴響，拿起來一聽，是小周打來的。他說楊麗麗有請，問我願不願意去玩!

我罵了一句：「去你媽的。」便掛了電話。

電話又響，小周在那頭說：「生什麼氣啊，聽我解釋一下不行嗎?」

「好!」我說：「你圓謊吧。」

他說電話上不好說，叫我馬上到郵電大樓門口等他，他在那兒接我。

放下書，我稍為打扮了一下，從鏡子裡看著自己也有些人樣了，才一個百米衝刺奔到郵電大樓。正好，小周的「的士」也剛到。鑽進車子，看到裡面還有一個人。

「葉梅!」我叫了起來。

「噓——」葉梅對我笑道：「小聲點。」

車子開過市中心，又在幾條小巷子上轉來轉去。我問葉梅：「好嗎？這一向？」

「馬馬虎虎，」她說：「比在裡面好。」

葉梅上身穿一件裘皮大衣，下身卻只穿一件皮短裙，露出細長白嫩的腿來，我問：「不冷嗎？」

「又不出門，冷什麼冷啊。」

車子在一片密密的住宅區前停下來。小周付了車資，回頭招呼我們：「走吧。」我便隨他們走進一幢大樓的二樓，我實在記不清是第幾幢第幾單元了，畢竟時隔多年，但還能記得是二樓。我們敲了門，不一會，楊麗麗出來開門，見她只穿了一件睡衣。進去後，才知道裡面原來有暖氣。小周、葉梅都脫了外衣，我也脫了。

屋子很寬，四室一廳，大約是處級幹部的房子，佈置也極高雅、豪華。我猜不透這是誰的房子，後來聽小周說，房子是市裡某一位領導給葉梅弄的。那領導跟葉梅要好，就答應給葉梅一套房子，以便和她幽會。那段時間，領導偕夫人到香港去考察，葉梅一個人守家，難免寂寞，就常邀眾姐妹去跟她玩。

「喝點什麼？」葉梅以主人的口氣問我。

「不渴，」我靦腆地說。

「天冷，喝點暖和，咖啡還是茶？」葉梅又說。

「咖啡。」我聽到床上突然傳來一個聲音，然後看到被子裡鑽出一個人頭來，是林紅。

「睏死了。」她說。

她下了床，伸伸腰，衝向我：「你好。」

「妳好。」我回答。

「昨天你和大毛敲了幾板凳，林紅？」葉梅問。

「敲雞巴，沒機會啊，玩麻將，一玩就下不來了，直到天亮，大毛昨天可輸得慘了。」

「多少？」葉梅一邊用電爐煮咖啡一邊問林紅。

「差不多八張錢吧。」

「八十？」

「八百。」

「那也不算多。」

我知道她們所說的敲板凳，就是性交的意思。我心想，這些人改造了幾個月，回頭來怎麼一個個都重操舊業了啊，真叫人無法理解。

小周和楊麗麗一直悄悄在一邊看葉梅的影集，我也湊過頭去看。小周指著幾張裸體照問我：「怎麼樣？」我看了一眼，立即感到全身上下不自在起來。

「哎，」葉梅在一旁叫道：「那些可是隱私噢，麗麗你可別拿來引誘青少年好不好。」

「什麼青少年啊，」麗麗笑道，「這兩位可是老角子了。」

「別開玩笑，我們這可是在欣賞藝術。」小周說。

另外的則是葉梅與各種男人的照片，從背景上看，有些照片還是在泰國、香港等地照的。我心想這葉梅原來這麼神通廣大，難怪她可以逃出來。又想，或許人們傳說的她是被陳幹故意放跑一事，想來也應該是真的了，說不定這主意還是那位市領導出的呢。

咖啡很快煮好了，葉梅給每人都倒了一杯。我接過咖啡，葉梅問放不放糖，我說不用了，事實上我從未喝過咖啡，不知道該不該放糖。小周和楊麗麗加了糖。小周這時翻到一幅照片，突然大笑起來。我湊過去一看，原來是葉梅抱著一個巨大的男性生殖器模型，上面寫有一行字：「哎呀，我怎麼受得了。」

葉梅過去把影集搶來甩開了，小周和楊麗麗笑得在地上打滾。

我突然也產生一種抑制不住的衝動，我想，若能跟她們當中的哪一位睡上一覺該多好啊。但這念頭也只是一閃而過，因為直到此時，我對她們並不了解，我甚至對她們懷有某種恐懼感。

葉梅問我喜不喜歡看錄像，我說喜歡。她便拿出一大箱帶子叫我挑一盤。我看上面都是些低級通俗的帶子，就說：「我不太喜歡言情片和武打片，西部槍戰片還差不多。」

葉梅笑道：「你不要認片名，這些都是名不符實的，你隨便抽一盤吧，包你好看。」

我真的隨意抽了一盤，葉梅拿過去叫林紅放。不一會，電視裡出現了一些男男女女的裸體鏡頭。

我的心跳驟然加快了。面對這種情形，真不知道該咋辦。

這時楊麗麗過去把機子關掉了，她說她也喜歡看西部片，而這些玩意太膩了。

當時我心裡一方面慶幸楊麗麗關了機子，另一方面又有些埋怨，心想看看也不妨，我過去可是從沒有見識過這些東西啊。

葉梅說沒有西部片，楊麗麗說沒有就不看了。不看電視大夥也不知道幹些什麼，都說實在無聊，沒意思。林紅見無事可做便又往床上鑽。

葉梅給每人發了一支菸，說：「吹吹牛算了，怎麼樣？」

「有什麼吹場啊？」楊麗麗很不耐煩地說。

「呃，聽說你離過婚？」葉梅對我說：「說說，是怎麼回事？你這麼年輕，可不像是個結過婚的人啊。」

「一言難盡。」我說。

「是不是夫妻性生活不諧調？」葉梅笑道。

我看了小周一眼，心想這小狗日的把我的秘密全都透漏給她們了。

「有那麼一點。」我說。

「除此之外還有什麼？」葉梅又問。

「說不清。」我說。

葉梅對我的臉一連吐了幾個大煙圈，「看不出噢，你還挺油滑的。」

「扯什麼雞巴談啊，學文件，學文件，」楊麗麗叫了起來，說著到裡屋搬了一張桌子一副麻將出來，往屋中間一擺，然後拉上葉梅，說：「還是幹正事吧，」又踢了小周一腳：「呃，童子哥，別裝死了好不好，起來工作了。」小周一直是倒在沙發上的，這時欠了欠身子，起來了。

「你打，你打。」小周對我說。

「開什麼玩笑，」我說，「我不會，這你又不是不知道。」

「真不會？」葉梅說。

「要會我還謙虛幹麼。」我說。

楊麗麗看了我一眼：「看來還純潔得很噢，你不會也是個童子吧。」說完去床上把林紅從被子裡拖出來，對她說：「貪吃貪睡，快起來幹活。」

大夥坐定後，開始排座次，座次排定，便嘩嘩啦啦的搓起牌來了。

葉梅把我叫到她身邊：「來，我教你。」

「我學不會。我笨得很。」我說。

「這玩意呀，再笨的人也能學會，看看，這叫條子，這叫筒子，這叫字，懂了吧？」

我點點頭。

「你看，這不一學就會了？」葉梅一邊砌牌，一邊教我。

「幹什麼啊你們，這麼親密，我可要吃醋了。」楊麗麗說。

「嘿，你吃什麼醋呀，這醋你可吃得沒道理噢。」

「東風。」林紅先發牌。

「碰。」小周叫道。

「嘿，媽的，不准，開牌就碰，你們是扎好媒子的是不？」

小周笑而不語。林紅說：「妳可真是個大醋罈。」

「聽說你被陳艷如騙了三百塊錢？」葉梅問我。

「別提了。」我說。「算我交學費。」

「這學費可不便宜啊。」葉梅說。「你看，這幾個牌，齊了，這裡，再等一張，懂了吧？」

我連連點頭。

「不難吧？」葉梅說。

「不難。」我笑道。

「呃，你想不想見陳艷如一面？」葉梅問。

我眼睛陡然一亮：「妳知道她在哪裡？」

「我不知道。」葉梅說。「但有人知道。」

「誰？」我急切地問：「誰知道。」

「林紅，」葉梅叫道，「告訴他，陳艷如現在何處？」

「我不知道。」林紅埋頭打牌，不理我。

我一時不知該如何是好。沉默了一會，走到林紅身邊：

「還生我氣呀，那天我不就是開句玩笑嗎？」

「你以為我是那種小氣的人嗎？」林紅笑道：「我才不會生你的氣呢。不過，陳艷如在哪裡我確實不知道。」

「告訴他，林紅。」葉梅又說。

林紅不說話了。隔了一會，林紅才說：

「那天我也只是在花園舞廳門口見她一面。」

「她告訴妳她住在什麼地方了嗎？」我急切地問。

「沒有。」林紅說。

我嘆了一口氣，一屁股坐在沙發上。

楊麗麗掃了我一眼：「你這人也真是，三百塊錢，多大回事啊，人家那些送千兒八百的，難道不要上吊死了不成？」

「話不能這麼說，」小周插話道，「我們的錢，來得不容易得很。」

「呃，我問你，周同志，誰的錢來得容易，我們的錢來得容易嗎？」

我又站起來求林紅：「能幫我找到她嗎？」

林紅把面前的牌一推，說：「莊上自摸，上菜上菜。」

大夥掏錢，甩給林紅。林紅收了錢，半天才說：「你給我什麼好處呢？」

「三百塊錢送妳，我不要了。」

「哦？」林紅用不信任的眼光回頭看了看我：「今天這麼慷慨了？那天怎麼那樣細澀呢？」

「好，」我拍了拍林紅的肩膀說：「什麼時候給我消息？」

林紅想了想：「說不準。」

沒一會兒又說：「你在家等我電話吧，有消息我立即告訴你，行不？」

「行。」我說：「那就拜託嘍。」

「拜託拜託，就知道拜託，」楊麗麗路見不平地說，「也不說聲謝謝。」

「謝謝。」我對林紅說。

「呃，好個忘恩負義的傢伙，」葉梅叫道：「我呢？」

「謝謝。」我朝葉梅拱拱手，又朝楊麗麗拱拱手：「謝謝，多謝諸位幫忙。」

那天打牌一直打到晚上十二點過鐘，林紅說實在睏了，不得不睡覺了，我和小周才向她們告辭。

路上我問小周，那天怎麼回事？小周說：

「我們約好了去機場接葉梅，葉梅從深圳來，因事先沒跟葉梅打招呼，我們怕她有什麼想法，沒叫你去，當然車子坐不下也是個原因。後來見了葉梅，說到你，她倒高興，說很願意見見你，我今天才通知你來嘛。」

「你這話騙小孩去吧。」我說。

「不信算了。」小周說。

「你跟楊麗麗上過床了？」我問。

「什麼話呀，」小周叫了起來，「我可不是那種人啊，再說她們可是有病的，這你不是不知道。」

「病不是都治好了嗎？」

「治是治好了，問題是她們一出來，你知道她們又跟多少男人睡過覺了，你能保證她們

沒又染上了嗎？」

我想倒也是，但我還是不相信小周沒幹過楊麗麗。

到家時，辦公樓的大門上鎖了，我在門外叫了大半天，值班室的老頭才出來開門，見了我，問：「怎麼這麼晚才回來啊？」

「找女人去了。」我說。

8

三天後的一個下午，我在辦公室接到林紅的電話，她只說了一句速到月光舞廳便掛上了，言語簡短得像拍電報。

我立即跨上自行車飛奔月光舞廳。此時已是下午五點了，大街上擁擠著往來如織的人群。車到月光舞廳門口，鎖了車，給守車的老太婆一毛錢，便在門口東張西望等候林紅出現，卻怎麼也不見林紅。

有舞票的陸續入場，而我卻不知道是該買票進去還是在外等候著林紅，心裡很焦急。

月光舞廳是個低檔舞廳，人稱「餃子館」，意即魚龍混雜之地。但也正因其低檔，舞票

價格便宜，使一般人都能承受得起這樣的消費負擔，生意向來紅火，加之它是建設在地下的，總給人以溫馨沉醉之感，更倍受妓女嫖客的青睞。同時也因為這地方的名聲不大好，一般正經人很少來此光顧。裡面傳來溫柔軟綿的舞曲，霓紅燈和激光燈也不斷閃爍。入場者漸漸稀少了，售票處也停止了售票。我依然等在門口，進退為難。冬日的寒風陣陣刮來，叫人不勝寒冷。

差不多半個小時過去，林紅才從裡面鑽出來，見了我，招手道：

「哎，進來，進來，咋不進來？」

我忙跑過去。守門的攔住我，問我要票。我說沒票。守門人立即把我拉回來，我說我買票還不行嗎？守門人說不行，已經停止售票了。

林紅不知從哪裡摸出一張票來，塞給守門人。然後對我喊：「快進來。」

「咋回事？」一進門我就問林紅，我實在不相信她居然在這地方發現了陳艷如，因為我曾在這個地方待了好些日子。

「什麼也別說了，等會兒我去和陳艷如跳舞，你就出來找她跳。」

接著又提醒我：

「千萬別讓她察覺是我帶你來的噢。」

我使勁點頭。

媽的，這真有點叫人按捺不住了，陳艷如居然還留在這城市，她竟沒跑。好哇，看我今天如何收拾妳，臭屄婆娘！

但怎麼個收拾法呢？見了她，第一句話怎麼說？看到我她又會有何反應呢？

然而一切都不容人思量和盤算了。舞曲歇了，林紅撇下我往裡走去。台上的女人在報告下一個曲子的名字。「接下來，我為大家演唱一首〈何日君再來〉，謝謝。」

語音未落，樂曲已起。

三三兩兩的舞者已上場。我旁邊的男男女女也紛紛站了起來，有舞伴的陸續進舞池，沒舞伴的正動著腦筋。

我繼續往裡走，這時我看見了林紅，她果然拉著陳艷如正準備上場。燈光閃爍，人影浮動。她們似乎並未發現我。

她們跳起來了。我看見林紅的牙齒一亮，似乎在跟陳艷如說什麼笑話，陳艷如的白牙也亮了一下。

天哪，陳艷如，她未免穿得太少了，就一件緊身肉色毛衣，把一雙乳峰高高地襯托出來，看來她依然不改舊業，她那雙乳房就彷彿正是為了吸引嫖客的眼光。

我努力使自己平靜下來，然後從容大方地走過去，我一下子站在林紅和陳艷如面前，接著又迅速地拉開林紅，我說：

「妳真美，小姐，能和妳跳個舞是我今生最大的榮幸。」

我看見陳艷如的白牙如閃電般亮了一下，旋即又迅速熄滅了。

「你是……是你嗎？」她緊張地說。

我感觸到了她全身都在發抖。

「看來妳還沒有完全忘記我啊。」我說。似乎我已對她產生了憐憫之情，心中那把熊熊燃燒多日的怒火也熄滅了一半。但我仍對她語帶鄙視和積怨，我想無論如何也得讓她體會一點痛苦。

我逮住她，在舞廳裡瘋狂旋轉。她一定頭昏眼花、天旋地轉了，我感到她整個身子往我胸前靠，她那雙堅挺突出的乳房壓在我的胸脯上。

沒有停下來，我仍帶著轉……

她終於求饒一般地雙手抓住我的肩膀，輕聲說：「……我不行了。」

妳也有不行的時候嗎？我心裡頓時掠過一絲快意。

我仍沒撤手，我還要轉。「妳的舞功可不怎麼樣啊。」我冷冷地說。

「求求你，別這樣，我們，有什麼話，好說好商量，行嗎？」

「行啊，」我停了下來，感覺著她的手已變得冰涼。「找個地方談談？」看來該來的事情總要來，一切都不可避免，她也只有硬著頭皮應承了。

「好吧，我們走。」她說。

她在門口的寄存處取了大衣，然後和我像戀人一般相偎著走出大門。我問她去哪裡？到什麼地方最合適？

她說隨你的便。

我說這一帶我可不熟。她想了一下說：「去你家。」

「去我家？」我笑道：「去我家幹什麼？」

「那還不隨你想幹什麼就什麼。」她笑道。

「噢，」我拉著她往火車站方向走，「妳這樣說，我可要想入非非了。」

她把頭偎在我懷裡，很動情地說：「我一直想去感謝你的，但我找不到你。」

「噢，妳去找我了嗎？」

「我打電話給你，你總不在。」

天已經完全黑下來了，城裡已是萬家燈火。我把她帶到一棵大樹底下，樹影的黑暗部分擋住了我們的身體。

我揚手一記大巴掌抽在她臉上。我依舊語言平靜地說：「我在家的，我天天上班，我上班的唯一任務就是守著電話。」

又一記巴掌落在她臉上，好響，幾個行人回頭看了看我們，又走開了。

陳艷如哭道：「你別打了，我對不起你，我給你，行嗎？」說完，就捂著臉蹲下去了。

「給我什麼？」我鬆開她，但另一隻手仍高高上揚。

「我陪你，你要我陪你多久，我就陪你多久，行嗎？」她哀求著說。我以為她說給我是還錢，沒想到是這個。

又一記巴掌重重地落在她臉上，我想這一掌恐怕要打得她的臉浮腫起來。「噢，是這樣。」我說。「可惜妳有病，否則我真想和妳睡一覺。」

「沒有，我沒有。」她急切地說。

「哪，那讓我檢查檢查看。」我好笑道。

她剛想站起來，我在她臉上又是一巴掌。「謝謝，」我說，「妳去賣給別人吧。」

我拍了拍手，說：「別讓我再碰上妳，好嗎？否則我手又要癢癢。」

說完，我轉身就走。

我到月光舞廳門口找到我的自行車，騎著慢慢向前行。北風陣陣吹來，落在我的臉上又冷又疼，我感到我的手還在顫抖，身子也抖個不停。

這是怎麼啦？我問自己。這可是我有生以來第一次打人啊。而且這也未免太不光彩了，打一個女人，一個妓女，任何嫖客都可以打她的，只要你付了錢，就可以在她身上發洩一切。那麼我算什麼東西呢？

糊里糊塗到了家，剛一進門，守門的老頭又問：

「喂，是不是又去找女人了？」

「對，」我說，「又去找了，可惜沒搞成。」

「為啥呢？」老頭問。

「沒地方幹。」我攤攤手說。

老頭笑了：「帶回來啊，我不會說出去的。」

「那好，下次一定帶回來。」

到了辦公室，我打開燈，鋪開折疊床，然後躺在床上回想今天自己所幹的事，我覺得自己像個下三濫，還算是知識分子嗎？

一會兒電話鈴響了起來，接過來一聽，是林紅。

「怎麼樣？錢到手了吧？」她笑著問道。

「我沒要錢，我要了她那個。」我說。

「我就知道你會要那個，」林紅說：「那你太划不著了，她跟別人講價，一次才二十塊，你這一次可是三百塊啊，你不覺得虧嗎？」

「不覺得。」我說：「真過癮，我覺得太滿足了。」

林紅不說話了。停了片刻，又說：

「呃，你可是答應我的啊，我的勞務費可不能少啊。」

我罵了聲：「去妳媽的。」便掛斷了電話。

9

第二天葉梅、楊麗麗、小七妹三人跑到辦公室來找我，見面第一句話就說：

「你怎麼搞的啊，你幹麼這麼跟我們林紅過不去，人家對你可是真心實意的啊。」

又一個說：

「幹麼這麼傷害她啊，她並沒得罪你呀。」

還有一個說：

「人家没功勞也有苦勞啊，你不給人家錢也算了，幹麼出口傷人啊。」

結論是：

「真是好心没好報。」

當時辦公室裡還有李所長等人，我怕她們這嘰嘰喳喳的一鬧，鬧出事來，就哄著她們離開辦公樓，到門口我才說：

「多大回事啊，這麼興師動眾的，打抱不平也不能這樣啊。」

她們不聽我辯解，而且強調林紅很傷心，從昨晚一直到今天仍在家裡哭個不停，她們希望我去跟林紅當面道個歉，別的就不說了。

我想也是啊，林紅並沒什麼對不住我的事啊，我沒必要如此傷害人家，哪怕她是妓女也罷。再說了，陳艷如是陳艷如，林紅是林紅，人不能比人啊。這一想，心軟了，就答應她們找個時間去看林紅，當面向她道歉。葉梅一夥這才搭了一輛「的士」回去了。

回到辦公室，李所長問我：

「這些人是什麼人，我看不像正經人家姑娘哩，你要當心噢，別叫你去一趟婦教所，回來就出問題噢。」

我說：「什麼呀，看你李所長想的，我咋能惹那些人啊，這幾位是藝校的，幾位老鄉，來玩的。」

李所長不信，說：「我可是提醒你了，到時你別怪我沒警告你。」

我不再說什麼，只好一笑了之。

時近中午，下班的都下班了，我才買了些水果之類的東西騎車去找林紅的家。她家住紅岩村一一五號。地址是楊麗麗和葉梅告訴我的。

紅岩村差不多在城郊了，騎車到村時要半個小時。紅岩村再過去就是打魚寨，那是典型

的農村了。

紅岩村原本也屬農村，住家户都是農民，後來附近辦了一家化工廠，工廠要徵地，村民的户口都改成了城裡的居民，現今這一帶也都成了廠區宿舍了。

好不容易才問到林紅的家，那是一排低矮的平房，樣子很有些古老了，房子上蓋著青瓦，瓦片上長著青草。

我敲開了房門，一位老婦人問：

「找哪個？」

「請問這是林紅的家嗎？」

「找她什麼事？」

「噢，我是她的朋友，前兩天她借了我一本書，她叫我今天來跟她要的。」

老婦人全身上下打量了我一番，大約看出我不是公安局的，才說：

「你進家坐吧，我去叫她來。」

說著往對面的鄰居家去了。

我進屋一看，屋裡還坐著一位老者，年紀約七十來歲，看樣子身體不太好，穿得很厚，正圍著鐵爐子烤火。見了我，也不說話，眼睛楞楞的，直盯著我，叫我有些害怕。

我輕聲問道：「你就是林紅家爸爸吧？」

老者沒有回答，眼睛卻一刻也沒有離開我的臉，我正尷尬得不知如何是好，林紅和那位婦人進來了。

我把水果遞給她，笑道：「沒想到吧？」

林紅微笑著接過水果，說：「捨得來？」

「又去打牌了是不是？」我說。

「無聊啊，」林紅嘆著氣說：「不打牌咋辦呢？」

林紅給我倒了杯茶，然後給我介紹，說老者是她父親，婦人是她母親。也把我介紹給了她父母親。

我問她父親多大年紀了。她說六十三了。

我又說：「妳父親耳朵是不是有點不太好？」

她說她父親曾經參加過抗美援越的戰爭，在戰場上被大炮把耳膜給震破了。

我又環顧了一下她家中的陳設，都是一些簡陋無比的家具，除了一些基本的鍋瓢碗鏟之外，可以說沒有任何電器，甚至連最普通的黑白電視也沒有，一望而知是地道的貧民。

我這才知道，林紅的父親原是廣西柳州鄉下的農民，後參軍，打過仗，傷殘後轉業，先在省委食堂當廚，再轉到紅岩村附近的化工廠，也是搞食堂。十年前就退休。那時還不到退休年齡，但為了能讓大女兒頂替進去，到廠裡當工人，就藉故身體多病提前退休。

老者結過兩次婚，前任妻子在鄉下，後來病死了，給他留下一個女兒，就是現在的大女兒，後來又娶了現在的妻子，原是從湖南流浪而來的農民，結婚後也一直沒有工作，以撿破爛為生，她給他又生了一個女兒，即林紅。

應該說，林紅小時候也有過幸福的童年，她在父母的寵愛下度過了自己美好的少女時代。家裡儘管貧窮，但仍竭盡全力供她上學讀書，吃喝玩樂。但不知是天資欠慧，還是受了周圍環境的影響，她的學業一直沒有長進，初中未畢業，便與人談戀愛且過早地失了身，最後又失了學，滾進了社會。

我和林紅在火爐邊談了很久很久，那是一個溫馨悠長的下午，她語氣平靜地敘述了她不幸的身世和經歷，同時也很有選擇性地談了一點對社會對人生的看法和認識。

我發現她沒有理想也沒有追求，她對過去現在和未來的一切都是很盲目的。由此我理解到她失足不僅有她個人和家庭的原因，更重要的還有社會和環境的影響。在後來我跟她的接觸中，我更相信了這一點。之後我才知道，紅岩村一帶的青少年男女，幾乎無一例外地都犯有前科，而這一帶則被人們形容為本市最黑暗的角落。

我想我一生最大的弱點就是隨意施捨同情心，我彷彿天生喜好扮演救世主的角色，但事實上我狗屁不如，而結果往往變成笑話，我不但救不了別人，反而害了別人，更害了自己。

顯而易見，就在那個下午，我改變了對林紅的看法和態度，我相信了她說她進婦教所是

為了騙錢而不是為了賣淫的話，我又對她產生了同情之心，可憐的我，看來，我也需要別人同情我。

分手的時候，我給她約定了下次見面的時間。

10

細想起來，一個人有時改變自己的看法和觀念，或是臨時做出的某種選擇，常常未免有些輕率而顯得不太負責任。但事實上只要人們身臨其境往往也不能做理智的判斷和選擇。否則天底下就不會有如此眾多的恩恩怨怨了。

事後追思我和林紅的這段恩怨，或許純屬偶然，即一開始就具有某種偶然性。在婦教所，她是我最後一個採訪對象，而那時我對她的印象也並不深刻，如果說我從一開始就對那些妓女懷有某種陰暗的心理的話，我想對象也只能是楊麗麗和陳艷如，而絕不會是林紅。但我奇怪的是上帝卻偏偏安排了這一系列的「偶然」。

我想一切只能怪上帝，他老人家没有阻止我走向深淵，卻著意安排了這一切，真是上天有眼。

第二次到林紅家去的時候，林紅及家人對我的態度便更為熱情了，他們錯誤地把我當成「好人」。

我也大言不慚，對他們說有什麼事需要幫忙的儘管找我，凡是我能幫忙的我都一定幫忙。林紅的父親問我會不會粉刷房子，他說家中沒有一個男孩真不方便，我說這事我包了，您老就放心吧，你就把我當兒子看吧。

老人握著我的手，非常激動，他說他已有許多年沒見過像我這麼好的青年了。

於是在一個禮拜天裡我上街買了兩大包石灰粉然後用自行車馱到林紅家，為她粉刷房子。事實上我以前從沒幹過這活，但我想既然做個好人就硬著頭皮做到底吧。

結果還是相當成功，憑著我那一點不多的靈性我無師自通地學會了粉刷房子，我用一天的時間把林紅家的三間舊泥土牆的房子刷了個乾乾淨淨。

當中我問林紅這房子以前是誰來幫刷的？林紅說是四毛。我問四毛是誰？她說是她前面的一個男朋友。

「就是他把妳引向那條路的？」我問。

「不，不是他，」林紅說，「他是我的第三個男人。」

「他對妳好嗎？」

「好。」

「那為什麼不跟他？」

「他不想跟我結婚，他只想跟我睡覺。」

「噢，」我說：「他這想法真不錯。」

「男人都這樣想麼？」

「不知道。」我說。

「那你呢？你怎麼想？」

「我？」我說：「我真傻，我結過一回了。」

「那現在還想再結嗎？」

「不，不想，暫時還不想。」

「那想不想跟女人睡覺？」

「想，」我笑道，「想極了。」

林紅大笑起來，說原來男人都一樣，都是些不負責任的傢伙。

刷完房子，林紅留我在她家吃飯，我沒推辭。林紅便臨時上街買了點酒菜，回來她自己親手炒了幾樣菜。我這才發現林紅原來並不像我想像的那樣嬌氣，做起家務來她十分在行，我想當初第一個佔有她而又拋棄了她的那個男人若一開始便很認真，也負責任，那她現在該是一位典型的賢妻良母了。

我漸漸發現自己已經愛上林紅了，我覺得和她很談得來。雖然我們有文化層次的差異，但我們都出身貧寒，社會地位低賤，生活在社會的底層，經歷過人生的磨難，所以我們能夠相互理解，相互體諒。當然我不敢想像我最終會娶她為妻，我知道這樣做恐怕有困難。雖然我與她一樣的寒苦、卑微，但我畢竟是個知識分子，現在好歹是個有身分有臉面的人物，不能想像，當人們得知我的妻子──假如她要嫁給我的話──曾經失過足，曾蹲過監獄，進過婦教所，賣過淫……那人們會怎樣看待我呢？所以我想結婚是不可能的，但我願意跟她保持一種不公開的性伴侶的關係，除了我對她已產生那麼一種感情之外，還有她那性感的身體也是擋不住的誘惑。

終於，林紅給我提供了一次機會。

一天，我正在辦公室翻看報紙，林紅突然打電話約我出去玩。我問她在哪裡？她說在虹橋賓館。我問她在哪裡幹麼？她說小七妹在那裡上班，當服務員，她去找小七妹玩，她們現在沒有客人，就在歌舞廳裡唱卡拉ＯＫ，問我有沒有興趣去唱歌？我說沒興趣不想去。

「來麼，人家幾天沒見你了。」林紅最後說。這句嬌滴滴的話確實充滿了誘惑。

「好吧，我就來。」我說。

放下電話我就往虹橋賓館跑，林紅在門口接我，頂樓歌舞廳裡小七妹等人果然在唱歌。我一到，小七妹就拿話筒報幕歡迎我為大家獻上一首勁歌。我沒唱，儘管林紅小七妹怎樣的

慫恿我，我最終還是沒有唱，我拉一把椅子在一旁當觀眾。

鬧了一會，小七妹她們要上班了，我們不便再打擾，我就說回家去。

「呃，我肚子餓了，你請我吃一頓飯麼。」

我對林紅說：「這還不容易，找個館子坐下來就行了，不過我有個條件。」

「什麼條件？」林紅問。

「妳得給我講故事。」

「沒問題，」林紅說，「就這麼定了，走。」

我們在一家雅致而幽靜的酒店裡坐了下來，我拿菜譜給她點菜。她看了一眼，問：

「你準備請我吃多少的呢？」

「隨便啊，」我說：「這一頓我豁出去了。」

「好，那我就不客氣了。」她說，「反正我也不是白吃，我還得給你講故事啊。」

她點了鍋巴魷魚、魚香肉絲、折耳根炒臘肉等幾樣菜，其實都是很普通的家常菜，我對她說：「看來妳並不忍心宰我啊。」

「這還不算宰嗎？」她笑道：「那麼再來兩瓶酒怎麼樣？」

我說沒問題。她便叫了兩瓶芙蓉江。這下我才傻眼了。兩瓶芙蓉江，價錢加起來比菜貴一倍。我擔心錢不夠，便說我們兩個喝不完兩瓶，得退一瓶。林紅便笑道：

「錢不夠就老實說錢不夠麼，何必找藉口呢？」

「妳能喝一瓶芙蓉江？」我說。

「一瓶？」她笑道：「兩瓶也不在我的話下。」

「妳吹牛。」我不信。

「好，當場檢驗，就這兩瓶，錢不夠明天我來補，這兒的老闆我熟，不信你問他們。」

她指了指那些服務員。

我不信也得信了，這時點的菜也上來了。我們邊喝酒邊說話。因說到錢，我就問她那天跟我借錢怎麼回事？她說：

「怎麼回事？沒錢就跟你借啊，你在所裡不是對我說，有困難可以找你嗎？你走的那天告訴我的，你忘了？」

我搖搖頭，笑而不答。

「再說啦，」她又說，「你不是也借錢給陳艷如嗎？你可以借給她，為什麼不可以借給我呢？我可是有借有還的啊。」

「那天妳真的是借去還婦教所的啊。」

「看看，到今天還不相信我。以為我騙人哩。」

「那後來妳到哪裡去找到錢來還給婦教所了？」

「跟楊麗麗借的。」
「那妳為什麼不一開始就向她借？」
「向她借？」她笑道：「我們是姊妹啊，跟她借，她是不要我還的。」
「不還不更好？」
「你懂個屁！」她說：「你以為那錢來得容易哇，那是真正的血汗錢哪！」
我默然了。
有時候我覺得是自己把這世界想像得太複雜了，事實上卻很簡單。
「喝，來吧，喝喝喝。」林紅笑著舉杯敬我。
「乾。」我跟她碰了一下杯。
我給林紅勸菜，說這菜可是妳自己點的，得多吃菜。
「那你平時的生活怎麼辦啊？」我問。
「靠父母唄。」她說。
「那也不行呀，妳父母要養活一家人，行嗎？妳又這麼奢侈。」
「所以才去騙人嘛，要不我怎會墮落到這一步啊。」
「妳怎麼不想找個工作做呢？」
「怎麼不想？想啊，可就是找不到，找工作不容易呀。」林紅又對我舉起了杯子，說：

「呃，你神通廣大，你給我找個事情幹啊，行不行？什麼樣的事情都可以，只要我能幹的。」

「行啊，」我說：「這事我放在心上了。來，喝。」

「那就謝謝你了。」她舉起杯子，跟我碰了一下，給我一個媚笑。喝了酒後的林紅看上去豔若桃花，嫵媚動人。

一直吃喝到了晚上十二點過，店裡的老闆服務員準備打烊關門只等我們了，我們才很不好意思的離開。剛一出店門，林紅便倒在我懷裡了，她已柔軟如泥。

我扶她穿過幾條大街，我說給她打個Taxi回家。她說不用了，這麼晚回去又要挨罵，她說今晚我住哪裡她就住哪裡。

這對我來說當然是求之不得的絕大好事，事實上我對她早有圖謀了。但現在我卻有點猶豫，一來我沒有家，沒有一個屬於自己的空間，帶她去辦公室，自然要被單位的人知道，但除此之外又別無去處；此外我這還是第一次接觸非婚姻關係的女人，我害怕這會給我帶來麻煩。我於是摟著她在街邊站了許久。經過激烈的矛盾鬥爭，最後還是非理性戰勝了理性，把她帶到辦公室我的家裡我的床上。

11

守門的老頭見我真的帶了一個女人回來，就把我拉到一邊悄悄說：

「呃，當真帶來呀。」

我說這可不是，說了就幹，否則白說了。

「這恐怕不妥吧。」老頭說：「我不能瞞保衛科的。」

「瞞什麼瞞，你就如實告訴他們好了，這辦公室就是我的家，他們管不著。」

「那隨便你了。」老頭無可奈何地說。

走進辦公室，我立即打開摺疊床，然後叫林紅躺在床上休息，我再插電爐燒開水為她泡茶。我的電爐是兩千瓦的，水很快燒開。林紅喝了點茶後清醒了許多，但人依舊柔軟無力，我問她這是什麼地方她知不知道？她一臉嫵媚而幸福地笑道：

「噢，別問了，我知道，這是天堂。」

儘管林紅的文化程度並不高，但我覺得她有時候說話非常機智、幽默，很討人喜歡。

她叫我幫她把衣服脫了，她說她很熱。我給她解開外衣的鈕扣，手指觸摸到那豐隆溫潤

的雙乳，我的頭腦裡掠過一陣陣的眩暈，出現了一片片的空白。我想我是第一次觸摸一個真正的女人。與她相比，我那乾瘦而蒼老的前妻則可以説簡直没有胸脯，在她身上我只能發現排骨。而林紅，天哪，這是多麼豐滿實在的肉體啊。

我遲遲疑疑地揭開她的乳罩扣，她笑罵道：

「呃，你還在等什麼，我可是忍無可忍了。」她摟住我的脖子，對著我的耳朵輕聲的説：「來吧，親愛的，我不收你的錢。」

我藉故去拔電爐然後稍稍的離開了她一會兒，我想此時終止行動一切都還來得及，但我實在找不出什麼理由來終止我的行動。我心裡想這可不行啊，這可是很危險的啊，但兩隻手卻情不自禁彷彿不聽大腦指揮似地去關了電燈又迅速脱掉自己全部的衣褲。

一上床我就把一切後果置於腦後了。

我感到即使此時死去我也不再遺憾和後悔。她是那樣的柔軟細膩，又是那樣的嬌美豐潤，她是哪樣的狂浪多情，又是那樣的體貼温存。我不得不承認，我與前妻所過的那些性生活純粹是無，純粹是零。不，那只是一種禮節，一種關係，而這裡卻是自由和解放，是實實在在的快樂和銷魂。

這是一頓叫我渴盼已久的美餐。現在是擺在我的面前讓我盡情消受了，而我卻茫然的不知道該怎樣才能品出真味。我按照她的指引向前奔騰，群蜂飛舞，鮮花遍地，我感受到我的

靈魂全部被快樂所融化了，不存在了，她抓住枕巾捂住了自己的嘴，她全身顫慄地說她已經到達了那輝煌的領地，桃花盛開，春光明媚。她香汗淋漓，如醉如痴，她說她頭腦裡有一條河流，一條充滿愛液的河流，波濤洶湧，浪花朵朵。她在河水裡掙扎呼救，她叫喚著我的名字，問我在哪裡？我辛勤耕耘，告訴她我死了，我的靈魂已升天而去。

我們終於停了下來，靈魂漸漸返回人間，撫摸她那飽滿結實的乳房，我有些糊塗，不明白這究竟是夢還是真實。

「呃，你可真行啊。」她說。

我不好意思地笑了，我告訴她我已半年多沒接觸女人了。

「你跟你老婆也這樣厲害嗎？」她笑道。

我笑而不答，只是一遍又一遍地吻她，撫摸她。

「哪個女人嫁了你，都會很幸福啊。」她又讚嘆著說。

「妳幸福嗎？」我問。

「呃，這還用問。」

「妳以前也這樣幸福嗎？」

「以前？」她想了想說：「噢，以前有個傢伙可比你還要凶一點啊。」

「他怎麼樣凶法？」

「他呀，他一次差不多都要幹一小時。」

「妳吹牛吧，天底下哪有這樣的男人啊。」

「呃，我哄你幹麼，不信你去問楊麗麗好了，他也幹過楊麗麗的。」

「他到底是個什麼樣的人啊，你們都被他幹了，難道天底下的女人見了他都想跟他睡覺不成？」

「呃，別生氣啊，看來你忌妒了不是？我說著玩的，實際上天底下再沒比你更好的男人了。」

「妳不要恭維我，我有自知之明，不過，我們剛剛才一次，妳也還不了解我啊。」

說完我又翻了上去，這次我可要耐心一點了。

「怎麼，又來呀？」林紅說。

「對不起。」我咬著她的乳頭說。

「行啊，我受得起。」她重新又開了雙腿，信心十足地迎接我的挑戰。

那晚上，我們一共雲雨巫山了四次。四次之後，我問她：「還要不要啊？」

「不行了，我投降了，下面好像都脫皮起水泡了。」她說。

12

一大早我把林紅送回家，回來上班時看到單位上的人都在低頭議論著什麼。

上班後李所長把我叫到他的辦公室訓了一頓，說我這樣影響不好，要注意一點，叫我到此為止，以後決不能這樣，要珍惜名譽好自為之。

我想想也是，回想昨天的事情我只好承認那是一種酒後的荒唐。

但我又想，這有什麼啊，這是我的私生活，誰有權干涉過問啊，哼，去他媽的吧，我才不理你們這一套。你們有房子住可以抱著老婆為所欲為，而我無處藏身隨風飄零又有誰來過問關心？難道我不是人嗎？難道只允許你們過人的日子嗎？

那一天上班我悶悶不樂。到中午時我睏意十足卻找不到一個地方可以躺下來睡上一覺，想想這社會對我如此不公平，下班後我乾脆跑到林紅家去了。

林紅的母親外出收破爛去了，父親則到廠裡的醫務所去看病。家中只有林紅一人，她在補昨晚的瞌睡。我一去她就抱住了我，門上門我們又大戰了一個回合。戰畢我立即閉眼昏睡過去了。

一覺醒來天已漆黑，林紅的家人也做好了飯等我，我全然不知道林紅究竟是何時起身離去的，而且我發現醒來時身上居然穿上了內衣內褲，那麼這顯然是林紅的用心，她擔心萬一她父母看見了不太好。

林紅進屋來喊我吃晚飯的時候我已經醒了，我躺在她的床上若有所思。我想或許真的應該跟林紅結婚啊，她家窮是窮一點，但這些年來我們都在苦水裡泡大還不都窮慣了？而現在她可以給我一個溫暖的家，給我一個自由自在的空間，我想我只要有一張書桌一個書架就夠了，像我這樣不勝卑微的人還可能再奢求什麼呢？

「醒了嗎？」林紅拉開她閨房裡的燈，問我。

「早醒了。」我說。

「早醒了？」她過來幫我披上外衣，說：「那你在這黑屋裡想些什麼呢？想你女兒和老婆了？」

不知道為什麼，我突然衝口而出就是這麼一句：「不，我想跟你結婚。」

林紅一下子收斂了笑容。

「不要開這種玩笑，好嗎？」她說。

我穿好衣褲，站起來捧著她的臉，無限深情地說：「妳願意嗎？」

「不，這不可能！」她推開了我。「你別拿我開心了。」

我一時不知道該說些什麼，傻傻地楞著。

她也愣住了，這個消息對她來說畢竟來得太快，甚至太突然了。

沉默一會，她說：「今天不說這個好嗎？我們去吃飯吧，爸媽都在等著呢。」

「好吧。」說完跟著她走到外間的屋子。我跟她爸媽打招呼，他們臉上堆滿了笑容，看不出他們有任何不滿意的地方。

林紅對她爸媽扯謊說我這兩天感冒了，身體有點不太舒服，說她見我可憐，在單位上沒人照顧，就帶到家裡來了。

她爸媽很高興，說以後別見外，這裡也是你的家。

林紅給我們準備的晚飯是一隻燉雞，她說我感冒了，喝點熱雞湯就會好的。

吃著飯，外面突然下起雨來了，雨不大，但風卻很狂，林紅的爸媽就勸我不要走，在家住下，我覺得不妥，一再堅持要走。但林紅卻生氣了，她說：「你是生病的，這一淋雨，你不要命啦。」

我當然知道林紅這話是故意說給她父母聽的，她這麼一說，她父母更堅持。我便只好留下了。

初時，林紅和我在火爐邊閒聊，聊至半夜，她父母都在屋裡睡熟了，她便拉我到她的閨房睡下。她摟著我，問我為什麼想要跟她結婚？我說我喜歡她，別的就沒有什麼理由了。她

說這可不行，僅僅喜歡是不行的，她說男人第一次見到新鮮的女人都會喜歡的，但過了一段時間，就會厭倦，她說她可不想再被人拋棄了。

事後一想到林紅的話確實很有道理，從根本上說，我和林紅都不過是一種遭遇，而我們想要成為夫妻，基本上是不可能的，我若冒出要娶她為妻的話，恐怕不是出於虛偽，就是出於一種衝動。

但在當時，我卻並未意識到這些，畢竟我那晚擁抱著的是一個美麗的胴體，為此我痛恨那奪去她貞操而又把她推向犯罪道路的男人，也痛恨我們這個貌似平等實則腐朽僵化而又等級森嚴的文明社會，我希望自己能面對這種現實、有一種英勇的背叛行為。

從那以後我便公開跟林紅同居了，白天去單位上班，晚上回林紅家住，日子過得十分愜意。轉眼之間，春節就要臨近了。

在春節臨近的那些日子裡，我看到街上到處是匆匆忙忙籌辦年貨的人們。而我也不由得思念起我鄉下的親人來，那裡有我的雙親父母、叔伯兄弟和同胞姊妹。他們愛我，關心我，渴望見到我。而在這城市裡，我有什麼呢？我能有什麼呢？我一無所有，我不被別人愛戴，也不被別人所關懷。我就如同從鄉下被風刮進城裡來的一粒草籽，落地生根，開花結果，隨風零落，自生自滅。

還有我的女兒，她快三歲了吧，她在兩歲半時就離開了我，她長得跟我一模一樣，有著

和我一樣的特徵和性格。幾乎在所有的夜晚裡，我都會夢見她。我太愛她，想她。我不止一次地找過她母親，懇求婭把她帶進城來，讓我見見我的寶貝，她是我生命中最脆弱的部分。但是這種要求遭到了拒絕和嘲笑。婭認為我應該得到世界上最厲害的懲罰和報應。我也曾不止一次地找她的單位領導反映過此事，但他們同樣毫無憐憫之心，推說這是個人私事他們無權干涉也不想干涉。我曾想到去找法院，由法律來解決這一切，但我最終放棄了這一念頭，我想，由她去罷，我相信神靈的眼睛是睜開的，正如她所說，一切都將得到報應。

我想我的親人，春節臨近，我想回鄉下老家去探望他們，我把這想法告訴林紅，林紅立即緊張地問：

「那你什麼時候才回來呢?去多久?」

噢，我並非一無所有，我畢竟還有林紅，哪怕在別人看來這一錢不值，微不足道，但對我來說，這正是我救命的稻草。只有在這裡，我才能感到溫暖，感到愛，感受到生活中仍存在那麼一縷的小小陽光。

我告訴她，我很快就會回來，我只是回去看一下。

林紅哭了，我看見她臉上有成串的淚珠在往下掉。

13

一天，我從單位下班回林紅家，遠遠看見林紅家門口停了一輛公安局的麵包車，我大吃一驚，心想林紅可能又出什麼事了。我悄悄走到外屋的窗子邊往裡看，屋裡果然坐著兩個公安。再一細看，原來是老趙和老李。

他們來幹什麼呢？

我不明白，也不敢去見他們，我悄悄退回去，在馬路邊待了很久。直到看見林紅把他們送上車，車子開出去好遠了，我才走出來問林紅：

「他們來找妳幹嘛？」

「哦，沒什麼，」林紅笑道：「他們來了解情況的，他們怕我再出去賣啊。」

林紅這一說，我心裡輕鬆多了，但總覺得有點什麼疙瘩，心裡隱隱的有些不快。

晚上上床後，林紅問我為何不高興，我便問她老趙他們還說什麼沒有？

林紅說：

「說啊，說了滿多，你想知道？」

「當然。」我說。

「他們說你不是個好東西，叫我別傻，不要跟你，你不會跟我結婚的。」

「他們真這麼說？」

林紅不說話，只是笑。

我翻身捉住她的雙乳：「呃，這話是他們說的，還是妳編的？」

林紅哈哈大笑道：「看你急的，我瞎編的。」

我舒了一口氣。

「那他們總得說點別的吧，不然怎會待那麼久？」

「他們邀我出去玩，楊麗麗和葉梅也邀請了，說今晚去東新歌舞廳玩，我說不想去，他們就老纏我。」

「原來這樣。」我說。

「我可是為了你啊。」林紅說。

我不解，問：「此話怎講？」

林紅說：「我還真的有點想去呢，天天待在家裡，悶死了。」

看來林紅還是耐不住寂寞啊，我心想。

第二天我從辦公室把我的收錄機抬到林紅家，我說：「悶的時候就聽聽歌，千萬別出去

了，懂嗎？」

林紅激動的摟住我的脖子，說：「好啊，我全聽你的。」

晚上我和林紅一邊放著音樂，一邊酣戰。大汗淋漓時，林紅咬著我的耳朵喃喃道：

「我愛你，我要你，我願為你去死……」

我想林紅果真忘記過去的一切，甩開過去的一切，全心全意的愛我，那我還有什麼不滿足的呢？

當然忘記昨天的一切說來容易，做起來卻難。林紅可以忘記，但別人會忘記得了嗎？就算別人也忘記，我也不可能徹底忘記啊。我說過，我性格中最大的弱點，是自卑。也許就因為自卑，我選擇了林紅——雖然這種選擇有偶然性。但也正因為自卑，我常常會不自覺地誇大林紅過去的污點及將來真相大白時輿論可能對我構成的壓力。所以，將來到底能不能跟林紅真正結婚，在我內心深處，也仍是有些動搖不定的。

但一當回到林紅的床上，和她幹那事情時，又忘乎所以了，我突然意識到已離不開林紅，心理猛地閃過一個念頭，就是把林紅也帶回我的鄉下老家去，去那裡過一個快快樂樂的年。

這想法一萌生，我立即告訴林紅。

林紅一聽大喜：「是真的嗎？你沒騙我？」

「騙妳幹麼?」我說。

林紅又哭了，她淚流滿面地吻著我說：

「我不會忘記你的，我要好好愛你，我要好好珍惜你……」

但第二天我回到林紅家時，卻看見楊麗麗葉梅小七妹鍾阿玲一班妓女全在林紅的閨房裡，我一進去，他們就齊聲嚷，說他們是來制止一樁陰謀和罪惡繼續發生，也是來阻止一齣悲劇繼續上演。我一聽就明白是怎麼回事了。

「這不關你們的事!」我對他們說。

「不關我們的事?」楊麗麗說：「關，太關了。你知道，林紅可是我們的妹妹噢，我們不能見死不救是不是?我們不能眼睜睜看她落下火坑是不是?」

葉梅說：「我說怎麼這大半年不見林紅了，以為她到南邊跑生意去了，想不到被你騙在家裏，呃，你倒會打算盤啊，你想日不要錢的屄呀，告訴你，你趁早別作這個夢。」

楊麗麗說：「呃，我不懷疑現在你對林紅有感情，這點我信，我見得多了，跟我睡覺的男人，哪個不是說愛我愛得要命，哪個不是發誓非我不娶，結果怎麼樣呢?

「你不要傻了，我覺得林紅傻得可以，你也傻得可以，你比起小周來，實在太差勁太傻氣了。

「你是不可能跟林紅結婚的，這一點你自己心裏也清楚，呃，就算你結了，用不了幾個

月，也要離，你信不信，不信我和你打賭。」

「林紅也是，」楊麗麗轉向林紅，「吃了這麼多虧，居然還是這麼犯傻，我真不明白妳到底是怎麼想的，妳以為妳林紅是什麼人哪，我告訴妳，妳是妓女！

「妳想嫁給他，是啊，不錯，他各方面都不錯，我想床上功夫一定更不錯，但他是什麼人？妳明白嗎？他是記者，是科學家，是政府部門的職員，有頭有臉，妳不想想，如果妳是他，妳會真心愛一個妓女嗎？」

「……」

「……」

「……」

他們就這樣不停地勸說，不停地咒罵。最後楊麗麗對我說：「喂，我們說這些，話是難聽一點，但可都是為你好噢，如果你一意孤行，繼續欺騙林紅，我告訴你，到時候別怪我們翻臉不認人，告訴你，到時候你甩了林紅，林紅不會放過你的，就算林紅放過你，我們也不會放過你，懂嗎？」

又說：「好，悲劇到此為止，你回家吧，以後不要再來纏林紅，要來可以，但是要記得交錢噢，我們可是靠這個謀生的，不能讓你白幹。以前的就算了，以後的，我們可得當面說清楚。去吧！」

楊麗麗把她們早已從林紅的衣櫃裡為我整理出我的衣褲甩給我。大夥都憤恨不平地看著我。

我不得不承認，楊麗麗等人所說的全是事實。當然要說我只是欺騙，純粹是為了佔便宜，找一個性伴侶，我想那也不盡然，但也無法否認有些是事實。也許有愛，或者還有一點別的什麼，譬如為了尋求一個生存的空間、抒解內心寂寞等等。總之我相信我對林紅的情感肯定是複雜的，也並非那麼單純。

彷彿謊言已被揭穿，我感到羞愧，感到憤怒。但我不能在一群妓女面前表現出軟弱，丟盡臉面。我平靜地對楊麗麗說：

「謝謝妳的關心，不過，請妳走吧，我不希望任何人干預我和林紅之間的私人情感。」

我的話無疑是一枚子彈，堵住了每一位妓女的口。楊麗麗只好冷笑道：

「好，那我們也就沒什麼話說了。」

她們紛紛站起來，慢慢退出屋去。

只留下我和林紅，都楞在屋裡。

許久，林紅走近我，問：

「你真的愛我嗎？是真的嗎？」

我頹然倒在床上，我不敢看林紅的臉。

「我不知道，別問我。」我說。

接下來我便聽到林紅的嗚咽。那一夜，我只聽到林紅的嗚咽。

第四章

昨日重現

1

一陣強烈的快感通過我的身體，我知道我又在作那種夢了。但明知是在作夢我也不願醒來，我仍在繼續著。夢中的那個女子面孔始終模糊，她似乎是我的前妻，又似乎是我大學時代的一位同學。但這些顯然都並不重要，重要的是我因此而獲得了一種如釋重負的感覺。感覺我被什麼東西推了一下，然後我終於真正地醒過來了。睜眼一看是李所長站在面前，我不由得感到又忿恨又慚愧。

「起床啦，都快三點鐘了。」

李所長見我醒了，便回到他的座位上坐下，拉開窗簾，說：

「有個重要的任務，得交給你和小周。」

我依然躺在折疊床上不起來，問：

「什麼任務？」

話一出口，我立即感覺到有點滑稽，就彷彿是在幹什麼地下工作。李所長說你和小周得去一趟婦教所，瞭解一下有關女性犯罪問題的情況，調查時間為一個禮拜，回來寫一個詳細

報告。他說這是上面交代下來的課題，非完成不可的。

我倒覺得這是一趟美差，到女人堆中去待上個把星期，對於剛離婚半年多的我來說，確實不能說是壞事。我慨然答應了李所長，並立即翻身起床，穿好衣褲，折好被子和床。

不一會小周也來了，李所長便給我們說明有關政策，叫我們在那裡務必這樣那樣，不要這樣那樣。我和小周笑著說：

「不會，不會的。」

李所長也笑了，說還等什麼，那就走吧。

小周說他還得回家跟父母打個招呼，畢竟要去哪裡住上個把禮拜，免得家裡人著急。我也說還有些事情要處理，便推辭到第二天。實際上我並沒有什麼急事。只是想洗一洗我那已被弄髒了的內褲，我不想穿著它到婦教所去泡一個禮拜才回來洗。

就這樣，在那個初冬季節裡，我們踏上了那條通往婦教所的公路。那是一條由省城延伸到郊外的柏油路，道路彎彎曲曲，但風景美麗。從十里之外的一個叫二鋪的小鎮上，有一條金黃色的沙土路往旁邊岔過去，不出半公里路，便可見到那孤立於一片荒山野嶺中的婦教所了。和所有的監獄一樣，婦教所四周砌著高高的圍牆，從外面看去，只能看到牆內的幾株梧桐樹，其他就什麼也看不見了，甚至聽不到人的聲音，彷彿一座廢棄多年的舊城堡。

到達婦教所時，正是中午時分。進入鐵門，首先映入眼簾的便是滿院的女人。

五十多歲的周所長接待了我們。看過了介紹信又聽了我們的陳述後，他哈哈笑道：

「好麼，好麼，很歡迎，很歡迎你們來調查。」

「不過伙食差一點，恐怕你們不習慣，」他過了一會又說，「我們的伙食是跟犯人一樣的，並沒什麼特別。」

我們告訴他，我們會適應這裡的一切的。

因所長也姓周，於是和同去的小周認了家門，彼此之間的關係似乎又進了一層。

周所長給我們安排了住處，然後找來幾位幹部，介紹給我們認識。大家握過手，自我介紹一番，彼此就算認識了。

一切都安排妥當以後，我們便開始了調查。此時已是午後，午飯也開過了，女犯們被一位年輕的女幹部趕進屋子裡去休息。我們過去一打聽，得知那女幹部姓楊，我們就叫她楊幹。我們問楊幹可不可以在窗外與女犯們交談。楊幹說可以，但叫我們自己掌握分寸。我們點頭答應。

剛走到女犯房門窗前，一個年輕的女犯就朝我們喊：

「喂，小伙子，到屋子裡來坐坐吧，這裡可暖和啦。」

她的話引起了同房女犯們的一陣哄笑。

另一位女犯又朝我們喊：

「哎，你不是來保我們出去的吧。」

又一陣哄笑。

面對這樣一群女犯，我們毫無經驗，正不知該咋辦才好。幸好楊幹過來給我們解了危。

「幹什麼妳們，唵？」

楊幹只哼了這麼一聲，屋子裡頓時安靜下來。楊幹接著對她們介紹我和小周，說我們是來調查的，我們問什麼，她們就得老老實實的回答，若不老實，就罰她挑大糞。

我想挑大糞大約是一種非常有效的懲罰方式吧，女犯們聽楊幹這麼一說，頓時變得很溫順。

「妳叫什麼名字？」我對一個年紀較大、衣著也較為寒酸的女犯問道。

「鍾阿玲。」她老老實實地答道。

「怎麼進來的？」我極力裝著很溫和的樣子，希望得到她的理解和配合。

但她並沒有回答我的話。

「問妳話妳怎麼不回答？」楊幹提高了嗓門凶了她一句。

她低下眼來說：「我不是回答過了嗎？都說了好幾百遍了。」

「回答過了也還要回答！」楊幹對她的態度極為不滿。

我笑著對楊幹說：「算了，她回答過就算了，等一下我們去查一查檔案就知道了。」

小周也勸了楊幹幾句，並把楊幹引開了。

鍾阿玲見楊幹已走，便對我投來感激的目光。我於是又耐心地解釋我們調查的目的，鍾阿玲及同房的女犯都漸漸地有些明白了，我們之間似乎也有了些溝通。

「都是不得已的，誰不想做個好人啊。」這時鍾阿玲突然哭了起來。幾個女犯也面帶戚容。

我不免又有些尷尬起來。

恰在這時，鍾阿玲一抹眼淚，從床底下摸出一個硬殼筆記本遞出窗外來，說：

「上面都寫著的，你看吧。」

我接過一看，裡面寫著密密麻麻的字。

「妳的日記？」我問。

「嗯。」她破涕為笑。「字寫得不好，你不要笑話我。」

這時小周也過來了，我們一起翻看鍾阿玲的日記。

但這與其說是日記，還不如說是個記事本。裡面的內容什麼都有，有留言，有圖畫，還有一些不知從哪裡摘抄下來的名人名言，或者歌詞，甚至還有為婦教所提供的思想匯報的草稿，當然有一部分是日記。

「太亂了，為什麼不分開寫呢？日記應單獨寫一本。」小周說。

「没有本子啊，」鍾阿玲立即接過話説，「他們不讓我們買日記本，每人就一個本子，還不敢當他們的面寫，這些都是背著他們寫的。」

「不會吧，」我説，「寫日記怎麼也不允許呢？」

「難道你以為我哄你？不信你去問問他們。」鍾阿玲認真地説。

「他們可能是擔心你們寫別的東西。」小周説。

「我們還能寫什麼東西？」鍾阿玲很困惑地望了小周一眼。

就在這時，她突然一把扯過她的日記本，迅速塞在床底下，然後裝著若無其事的樣子跟同房的女犯開玩笑打鬧取樂。

我回頭一看，原來身後已不知何時站了兩位身穿制服的人。

我見是公安，忙上前自我介紹。

兩個公安説：「我們知道的，周所長告訴我們了。」

小周「哦哦」地應著，一邊忙不迭地敬菸。

兩個公安擺擺手説：「你們這樣做是不行的，你們不能直接跟她們接觸，這樣是違反所規的。」

「是嗎？」我和小周都大吃一驚。我們説我們並不知道有這個規定，周所長也没告訴我們，楊幹剛才也不説呀。

「楊幹呢？」一位眼睛有點斜的公安問，隨即他揚起嗓子大喊：「楊幹！楊幹！」

楊幹從屋子裡跑出來，走到我們跟前，問那斜眼的公安：「什麼事，老趙？」

「妳不知道所規？妳怎麼能讓他們單獨與妓女接觸呢？」

「這……」楊幹啞了一下，隨即說：「周所長打了招呼的，要我們全力支持他們的調查。」

斜眼公安見楊幹抬出了周所長，一時也沒話了，但如此一來，似乎又有些下不了臺，就說：「周所長叫你們支持他們的調查，但沒叫你們違反所規麼。」

一時就僵著了。我和小周連忙向兩位公安作了些解釋，然後表示這樣的接觸到此為止，下不為例，小周又恭恭敬敬地遞上了一支香菸，事情才平息下來。

兩位公安走後，我問楊幹他們是誰，怎麼對我們這樣不滿。楊幹說那個斜眼並不是什麼公安，原是團市委的，前些時候搞社會治安綜合治理，把他抽出來，參加「打防辦」，也不知他從哪裡弄來一身皮皮穿起，倒裝起人樣來了。

「那他不該管你們呀？」小周不解地問。

「本來是管不著的，但這些妓女都是他抓來的，他想管，我們有什麼辦法。」

我們似乎有所悟，連連「哦」了幾聲。

楊幹又說：「你們不要虛他的火，他是個馬大哈，又色，這些妓女就像是他養的……」

一聽楊幹這話，我的頭皮立即麻了一下，心想，這怎麼可能呢？不會吧，怕是楊幹信口雌黃罷了。

但楊幹又說：「你們初來，不瞭解情況，過幾天，什麼都會明白的。

「但另外一個，瘦點的那位，姓李，倒是個真公安，市局的，下來鍛鍊，當我們的副所長，但也不是好東西，也色得很，正因為這樣，才和那斜眼老趙搞得火熱，天天裹在一起。」

這一說，我真的有些相信了。在沒來婦教所以前，我們曾在市局作過一些基本情況的調查，對於這種賊喊捉賊的情況，我們也曾有所耳聞，但當時僅以為是謠傳罷了，不想卻全是真的。這使我對自己的調查感到懷疑起來，我們究竟在調查什麼呢？如此一想，心裡禁不住一陣驚悸。

因為受到了老趙的干預，我們不能再直接與妓女交談了。下午我們改為提審。根據社會學抽樣調查的原則，我們從名單上按一定的間隔抽取五個妓女作提審對象。

審問是在一間辦公室裡進行，楊幹也在場，她在也好，她在場那些妓女就顯得安靜，我不明白她一個年輕女子何以有如此的威懾力。

這次提審的五個女犯中，有一個居然就是鍾阿玲。我們的問題很簡單，只問她們到底是如何墮落到今天這一步的。先時幾個女犯都緘口不言。後來從鍾阿玲那裡找到了突破口。

「怎麼樣？你帶個頭，先說一說？」

鍾阿玲倒很爽快，她說：「好吧，我就先說一說。」於是她一口氣說了一個很長又悲慘的故事。這不外乎是一種逼不得已的結果。她邊說邊流淚，到最後竟泣不成聲說不下去了。而奇怪的是她的眼淚並沒有引起另外幾個女犯的同情，相反的，她們竊竊笑了起來。我和小周也明白這是一個早已編織得滾瓜爛熟的虛假故事，即使有一定的真實成分，也已被稀釋得不成樣子了。鍾阿玲一說完，另一位女犯也背誦了一遍自己的故事。

到第三位正打算開始背誦時，吃飯的鈴聲響了，我們不得不叫她們出去吃飯。

後來我問鍾阿玲，問她何以要編造這樣的謊言。鍾阿玲的回答使我頓覺羞愧：

「你不是女人，你更不是妓女，所以你什麼也不會明白。」

2

「你怎樣理解這句話？」吃過飯後，楊幹邀我和小周到外面去散步，我們攀上了一個小山包，在山頂上可以看到山那邊有一個很大的湖，這時候我問楊幹該怎樣來理解鍾阿玲的話。

楊幹看了我一眼，又看了遠處的湖水。

她說：「這句話她沒騙你。」

「哦，怎麼說？」

楊幹卻沉默了。小周在一旁默默地抽著菸，他上下打量了楊幹一番，突然冒出一句：

「妳今年不到二十歲吧？」

楊幹抬頭看了小周一眼，說：

「二十二了。」

「看不出，」小周說，「真的，不是為了恭維妳。」

我這才認真看了楊幹一眼，她長得並不美麗，但樣子有些可愛。她的皮膚有點黑，除此之外，在她身上找不到任何富有個性的特點了。

「結婚了？」小周又問。

「沒有。」楊幹笑了起來，「不過差不多了。」

「有男朋友了？」我問。

「嗯，」楊幹扭頭看我，做出一臉天真的樣子。

「他在哪個單位上班？」小周問。

「沒單位，個體户，開車的。」

「開車的？」小周說，「那你可要當心，別被他騙了。現在開車的壞得很，沒幾個好人。」

「我正為這個擔心呢。」楊幹降低了聲音說。

「妳很愛他嗎？」我插了一句。

「嗯。」楊幹點點頭說，「是的，我很愛他。」

「那麼說，你們越軌了？」小周突然這樣直截了當地問她這個問題。

她立即紅了臉，但她沒有回答小周的話。

直到這時，我才猛然明白了她剛才所說鍾阿玲那句沒騙我是什麼意思了。

「就是說，妳現在很擔心他甩妳，對嗎？」我接著問她。

她狠狠地點了幾下頭。這時我看到她的眼眶裡蓄滿了淚水。

「萬一他真的甩妳呢？妳咋辦？」小周緊追不放。

「我就去當妓女，去賣淫。」她的淚水終於奪眶而出。這下反而弄得我和小周有些茫然失措了。

我不知道該怎樣去安慰她。幸好小周是學社會心理學的，很有一點開導他人的藝術，他耐心地給她開導，勸解，安慰。直到差不多天完全黑下來時，她才破涕為笑，說：

「管他呢，到時再說。」下山來的時候，我們都無話了，大家默默地走著。我就想，是啊，女人真不容易，她若太看重貞操，則惟恐不能討好於男人，若不看重時，則必淪為娼妓，這真是兩難。

那麼，可不可以既看重貞操，又不必因此而背上包袱呢？從理論上講，這當然沒什麼不可以，而且本來也應如此。不過這樣一來，須有兩個方面的心理準備，一是不怕當老處女。而這一點恐怕大多數女人是很難做到的。一個男人若看中了一個女人，總會千方百計地去糾纏，追求，而女人於情感方面，天生是有些脆弱的，見不得男人死不要臉的求愛，於是防線很容易被突破。而一當防線突破，則又處於弱勢的位置了。有些女子堅決守住防線，但卻被男人視為怪癖，最後只能做老處女。

二是女人須有錢或有貌。有錢則可以買男人來做老公，買個老老實實的男人，除了只會做愛，再無別的本事，這就萬無一慮了。或者有貌，貌也是本錢。漂亮的女子，無論曾經怎樣被人姦淫過，最終還是有人來愛的，這一點，已被古往今來的歷史所證明。而倘若一個女子並不具備上述條件，而又被人破了身，這就只能聽天由命了，若男的心善一點，娶了去，做個老婆，雖百般的不滿意，終究可以打發些日子，或者就勉勉強強地過了一生。若遇了心不好的，被一腳踢開，那就只有尋死或賣淫一途了。

這麼一想，我不由得對楊幹未來的前途和命運擔憂起來。而在交談中得知，楊幹原來只是一個中專畢業生，畢業後分配在市民政局工作，後來市裡成立「打防辦」，各個單位要抽人丁，楊幹就被抽進來了。

據她說，她原先看中她現在的男朋友，並非出於愛財，只是覺得他挺能幹，加之對她追

得很緊，就不知不覺被她男人俘虜了。誰知時間一長，才發現當中有偽，而現在她卻已失身於他，再抽身也來不及了。

想著楊幹的事，我為她捏了一把汗。

晚上我們被安排在陳幹家裡住。陳幹是個轉業軍人，但樣子極和善，一點也沒有行伍出身的痕跡，也不知怎麼轉的，竟轉到了這樣一個單位，人老實，不多話，但偶然說出一兩句話，卻很有點幽默感，不由人不笑。

他的職責，只是守住大鐵門，人來人去，出出進進，全要經過他的眼睛。

隔壁有人在打麻將，搓得很響，我和小周睡不著，起來看月亮。月亮從窗外照射進來，滿室銀輝，可以看書，卻可惜沒有書看。

我們便找陳幹吹牛。陳幹雖不好說話，但卻是有問必答，且十分認真而耐心。於是我們從他那裡得到了許多關於婦教所幹部的經歷和情況。

屋子裡升著煤火。我們圍爐而坐，隨意而談，很是暢快。談話間我注意到有一個小女孩忽兒進來添煤，通火，燒水，忽兒又躲出去了。這是一個很漂亮但打扮卻極素雅的女孩，先前我誤以為是陳幹的女兒，但漸漸地就看出他們之間並非父女關係。

「她是誰？」待女孩又一次走出門之後我問陳幹。

「她是誰你們不知道？」陳幹很驚訝地看著我們。

「她叫什麼名字？」我又問。

「姚小佩。」不待我們問，陳幹又補充說：

「她是個學生，這一夥妓女中，就她是個學生，很乖的，大夥都喜歡她，可憐她，都沒把她當妓女對待，只叫她做些家務。」

這下我們來了興趣，於是急著向陳幹打聽姚小佩的情況。據陳幹的介紹，姚小佩原來是省旅遊學校的學生，因為窮，交不起學費，就經人介紹去賣淫，第二次就被抓住了，而且經檢查已染上了性病。

不一會姚小佩進屋來，我問她幹麼出出進進的，過來和大夥一起聊聊天，烤烤火可好？她說她要到隔壁幫那夥打麻將的煮麵條、烤饅頭，還要給他們泡熱茶，所以總是出出進進的來回奔忙。我問打麻將的都是哪些人，她說是趙哥和李哥他們。我又問除老趙老李之外還有誰？她就低下頭不說了。我看了陳幹一眼，陳幹問：

「是不是還有葉梅和楊麗麗？」

姚小佩便點了兩下頭。

陳幹說：「那兩個是妓女，白天你們見過的。」

我們說想不起來，陳幹就描繪著說葉梅穿一身白，楊麗麗穿一身紅，都是很「那個」的。我和小周立即「哦」一聲恍然明白了。

葉梅和楊麗麗在我們剛一進婦教所大門的時候，就被我們注意到了，那一身妖艷的衣服和那種很放浪的笑的確使人過目不忘，但當時我看到她們二人正與幹部們一起調笑，誤以為她們也是幹部，没想到她們就是大名鼎鼎的葉楊二艷。

事實上早在我們來婦教所調查之前，就曾耳聞二艷之大名了。葉梅據説是跟黑社會有染的，楊麗麗則是路人皆知的超級美人，這一城裡的嫖客，據説無人不聽説過楊麗麗的大名，許多人為了能霸佔她一夜，甚至不惜揮金如土。這些情況，我和小周都是在市局裡聽説的。那麼，現在深更半夜的，她們還在老趙老李那裡打麻將，這又是什麼意思呢？

我這樣問陳幹時，陳幹也只是笑而不答。

我再次證明了自己的理論：美麗是女人最大的武器。

3

第二天我和小周到二舖鎮上包了一大桌酒席，專門請老趙和老李去吃喝一頓。吃完飯後，我們還分別給二人塞了一條好菸。

這樣，後來我們的調查就方便多了。

周所長不知因何事進城去了，所裡是老趙和老李說了算。因吃了一頓酒飯，我們之間原有的那一點隔閡此時也消除了。

下午我們繼續提審女犯。這次我們特意提了葉梅和楊麗麗。使我們萬萬料想不到的是，葉梅和楊麗麗非常坦率，她們不僅很爽快地回答了我們提出的全部問題，而且還自覺地向我們透露許多本不該說的「內幕」。楊麗麗甚至供出了她在市局裡的那位「保護人」，她說她之所以不再為那人的名譽保密，是因為看穿看透了那人。楊麗麗最後說：

「我原來陪他玩，就是寄希望於有朝一日我落難時他能來救我，但是狗屁，他到今天連看都不來看我一眼，這沒良心的，害我白白跟了他兩年。」

「他知道妳進來了？」小周問。

「咋不知道，他和老趙老李他們都是一夥的，我叫老趙老李帶口信給他，叫他來看望我一眼，你猜他咋說？」

「他咋說？」

「狗娘養的，他說他不認識我。我日他先人，我出去不找人收拾他老子不姓楊。」

楊麗麗說話儘管下流，但卻非常直率，讓人覺得她就像一間沒有門窗或牆壁的空房，可以看透她內心裡的一切。到最後她竟和小周討論起妓女與嫖客之間的性慾問題來了。這確實是一個較大較深的題目。在妓女與嫖客之間到底存不存在性慾的問題上，楊麗麗和葉梅的回

答頗不一致。楊麗麗說有，「不僅有，而且有時會很好。」但葉梅則堅持說沒有，「絕對沒有。」她說。

後來葉梅和楊麗麗為這問題爭執了起來，最後差一點發展成互相攻擊了。

「妳這死屄，妳當然不會有，妳想妳接的那些客人是些什麼人，媽的屄，二十塊錢妳也幹，一分鐘不到就完事，那能有性慾嗎？」

楊麗麗說的是大實話，聽起來也有道理。

「好，妳這老騷貨，就算妳高檔，妳要的價錢高，妳遭日的時間也長，但妳不愛他，妳巴不得他早一點完事，給錢，然後各走各的，這會有性慾？騷婆娘，可能妳要騷一點，老子是從來也沒快活過。」

葉梅的話同樣也很有道理，因此我們只能說她二人的體會各有不同。

但楊麗麗後來有一句話叫我們吃驚，她說：

「死屄，我看關進來的這些女人，沒有哪個不騷的，騷什麼騷，男人的雞巴日進去，搞的時間長一點，不騷也騷。像妳們那種雞婆的搞法，當然騷不起來。」

說實話，當時我和小周聽了她們的爭論，心裡面是很不自然的。不難想像，兩個妓女居然如此放肆地在我們面前大談起性交的感受來，而且又是如此的直率，煽情，就彷彿我們突然面對一個裸婦，一時間有些張皇失措，不知所以。

但調查本身的目的轉移了我們的注意力。我們借此機會盡可能地對她們提問題。結果一場提審下來，我們彼此之間已經是很熟悉的朋友了，因為我們之間的交流既融洽又坦率，我們彼此熟知了對方的一切，於是彷彿也格外有另一層感情。到吃晚飯的時候，我們感到彼此之間已經產生了一種很自然的感情。

「呃，晚上有舞會，你來跳嗎？」吃晚飯時，楊麗麗悄悄告訴我。我吃了一驚，問道：「誰告訴妳有舞會的？」

楊麗麗嘻嘻笑了起來，她說今天是週末，禮拜六，周所長又不在，按慣例，老趙老李他們是要來請她們去跳舞的。

我笑著對她點了點頭，她也笑著回了我一個媚眼。

晚上果然有舞會。說是舞會，其實是很簡單的跳舞，就一部錄音機放在辦公室裡，播著曲子，然後幾個男男女女在一起跳。沒有彩燈，也沒有那種舞會的氣氛，楊麗麗說，這是很沒意思的，不過也總比呆在牢房裡強一點，所以她倒是很願意陪他們跳的。自然每次舞會也總少不了她。

我和小周都應邀前去了。老趙笑出一嘴的黑牙說：「周末周末，娛樂娛樂。」

我也笑著應和了幾句，就開始和楊麗麗跳了起來。而當我的手剛一觸及楊麗麗的腰時，我立即有了觸電一般的感覺。這種感覺於我確是從未有過的。我在單位上也偶爾跳舞，卻從

沒產生過這種感覺。

此時儘管已是初冬天氣，到夜晚更覺寒涼，但楊麗麗依然穿得很薄，她只穿了一件薄毛衣，我疑心她並沒穿任何內衣，否則我的手接觸她的身體時，不會有那種過於明顯的柔滑細膩的感覺。

「我很性感是嗎？」舞間她悄悄貼近我的耳朵輕聲說。

「是的。」我答道。

「很想和我睡覺是嗎？」她又柔柔地說。

「……」我傻了。不，我簡直呆住了。想不到她竟然會提這麼個問題。她未免也過於直率了，我心裡突然對她生出一點怨恨來。

我是人，怎麼不想，但我能嗎？

楊麗麗無論從哪個角度講，都可以稱得上是個絕對的美女。她那雙晶瑩透亮的眼睛，風情萬種又傳神迷人，小巧的鼻子和嘴唇，玲瓏而鮮艷，臉面的肌膚白裡透紅，燈光下可以看得見美麗的汗毛，身材豐潤而又不失苗條，突出的雙乳和雙臀無法不使人想入非非。摟著這樣一位女人，說沒有邪念是說不過去的。

「妳很美。」我說。

「是啊，」她感嘆一般說道：「沒有哪個男人捨得放棄我。」

「妳咋不結婚呢?」

「結婚?」她笑了起來。「你願意娶我嗎?你要我,我就嫁給你。」

她又一次使我陷於難堪了。

我願意要她嗎?我在心裡想,如果是在幾年以前,我若遇上像她這樣美麗的女子,我肯定會死皮賴臉地追求,但現在我得考慮了,起碼我現在暫時還沒有愛上她,我不會考慮跟她結婚的。

但另一個聲音又在告訴我,不,這不是理由,你之所以不考慮娶她的真正理由,是因為她是妓女。對,妓女,這就意味著她已曾被千千萬萬的男人佔有過。

「美麗是妳的資本,麗麗。」我對她說。

「是啊,這確實是我的資本,而且是我唯一的資本,也是我最大的資本。」

「那麼,妳打算怎樣來利用妳的這一資本呢?」

「打算?」她又笑了起來。「我沒打算,我從來就沒有任何計劃和打算。」稍稍停頓,她又說:「我知道天下男人都愛美女,而我就是美女,所以我知道我會很好地活著,對嗎?」

噢,原來她並不以賣淫為恥,我說:

「那麼,妳現在快活嗎?」

「這是意外,我的傻瓜,這只是一次小小的意外事故,懂嗎?」

此時一曲已終，我和她從舞池裡退了出來。然後我看見楊幹也來了，她在一旁微笑著看我，我撇下楊麗麗走向她，問：

「咋不跳？」

「没人請我。」她半是開玩笑地説。

「好，我請妳。」

舞曲又起，我拉著楊幹滑入舞池。

4

和楊麗麗相比，楊幹簡直只是一堆死肉。她既激不起我的情欲，也不會使我產生任何幻想。我們機械地踏著音樂的節拍走動，或者很禮貌地説些彼此恭維的話，一曲終了，我們便很自然地退了出來，站在一邊，跟旁人點頭，招呼，説話。我們如同一部機器，彼此為對方服務，末了卻不帶走一點別樣的情感。

這是兩個世界，一個是理性的，一個則是非理性的。前者屬於楊幹，後者則屬於楊麗麗。楊幹穿著衣服，而楊麗麗則赤裸著，包括靈魂。如果一定叫我在二者之間作出選擇，我

由此我們似乎可以推論出，楊麗麗之於男人的吸引力，並非僅僅是出於漂亮而已，不是嗎？

在那一夜的舞會中，我始終思考著這些問題。

事實上，這些問題並非孤立的，聯想到楊麗麗在晚飯時對我說的那一切，我漸漸對人的情感疑惑起來。

而最使我困惑不解的是，那個貌似老老實實的陳幹，居然離過三次婚，而與之相結合的

對象竟然又無一不是這裡的妓女——這是跳舞時楊麗麗告訴我的。

他愛她們嗎？他與她們的結合是出於需要？還是出於情感？

我百思不解。

舞會結束後我回到陳幹的房間，看見姚小佩正在屋子裡爐上烤饅頭，我問：

「小佩，今天趙哥李哥他們不打牌了，你還烤饅頭幹什麼？」

姚小佩抬眼望了我一下，立即又低下去了。她輕聲說：「陳幹要吃。」

「不跳了？」坐在一旁向著火卻又百無聊賴的陳幹笑著問我：「怎麼樣，餓了吧，來來

來，吃個熱饅頭。」說著陳幹伸手要去取火爐上的熱饅頭。

「不吃不吃，」我搖搖手說，「我沒吃夜宵的習慣，吃了胃不舒服，睡不著。」

「不會吧！」陳幹依舊笑笑地說，「我們天天吃，也不覺得什麼不舒服的。」

這時老趙老李幾個推門進來，見火爐上烤著饅頭，都紛紛上去搶。

陳幹還沒反應過來，饅頭早被搶光了。陳幹笑著罵道：

「奶奶的，這群餓鬼……」

大夥都笑陳幹，說陳幹專會做這種好人好事。老趙又笑出他那口黑牙說：

「陳幹，古話說，先下手為強，後下手遭殃，這道理你不懂？」

大夥又笑，說陳幹幹啥事都性急，唯獨對這饅頭，總是喜歡慢慢欣賞培養，於是總不免要做好人好事為人民服務了。

「搞錯沒有，陳幹對饅頭才不含糊哩，他可從來是個快手，要再快點呀，這一院的饅頭也被他啃光了，是不是，陳幹？」

大夥笑。陳幹說：「奶奶的，一群餓鬼……」

我聽出大夥的話都是雙關語，心想這些人可夠粗俗的，當著女孩子的面，也這麼放肆。不過又想，他們也是早就不把這些女犯當人看了，不管怎麼說，她們是妓女，賣淫的，天下再下流再爛也不過於此了。

院子裡傳來女犯們的歌聲，歌聲淒涼哀婉，如泣如訴，其中有一位的聲音顯得特別清脆而嘹亮，我問這聲音是誰的？陳幹說是楊麗麗的。原來舞會一結束，老趙他們便把楊麗麗送

回牢房去了。

楊麗麗所唱的是一首流傳很廣的囚歌。我覺得好聽，就記錄了下來，那歌詞是這樣的：

你看山那邊那棵榕樹下
那是可憐天下父母心
有一位老人
邊走邊哭
邊用手巾擦眼睛
夢裡夢見孩兒的笑臉
醒來不見孩兒的面
只有淚水滾滾下流
那是母親的眼淚
人說時間太無情
你聽山那邊傳來呼喚聲
陣陣聲聲叫人心兒碎
多少個寒冷的夜晚裡

有多少母親在流淚
老人歷盡千辛萬苦
來到這裡看望親人
一堵高牆隔在牆外
牆外傳來呼喚聲
可憐牆外的老人

不知為什麼，我突然也感到眼睛有些濕潤起來。小周說他也是。我和小周站在院子裡聽了很久很久。天上有明亮的月光，遠處則可見月下朦朧的山影。這是什麼地方？今昔何夕？今夜的我何以又置身此地？故鄉在哪裡？親人在哪裡？還有我的可愛的寶貝女兒，她如今又在何處何方？

人是什麼東西？我想給人下定義並不難，但要真正瞭解人、理解人則不容易。或許人類區別於其他動物的根本標誌之一是人所特有的思維、情感和理性。說到底，人是情感的動物。這是人類的優勢，但也是人最大的弱點。我想古往今來，人類歷史上也許還沒有人能戰勝過「情感」吧？故我想一切人類歷史的災難、喜劇、悲劇，皆因情而生，因情而亡。

想到這些，我的心裡更多了一種流落異鄉的荒涼。

而這時老趙和老李走出屋來，朝牢房裡唱歌的女犯們吼道：

「唱什麼唱，俺，活不耐煩啦？」

這一吼，歌聲頓時消失了。院子裡徒然寂靜下來。

老趙老李走到牢房窗口，對裡面喝道：

「快點睡覺，誰再唱，我撕爛她的嘴巴。」

沒有人唱，也沒有人說話了。老趙老李挨著窗口一一檢查了一遍，然後走過來，對我和小周說：

「這些人，你不對她們厲害一點，她們是不知好歹的。」

又說：

「你們可要當心，她們見了男人就像貓聞到魚腥一樣，她們是什麼事情也做得出來的。」

我對老趙笑道：「有你在，她們不敢放肆的。」

「不敢？」老趙說：「你只要從窗子邊經過，她們就會朝你脫褲子。你以為她們是什麼人？她們是——賣屄的！」

老趙的話裡，明顯暗含著對我們有怨氣，但這怨氣又從何而來，因何而生呢？我和小周卻是猜不透的。

臨睡前，我們又在陳幹的外屋烤了一會兒火。於是我們自然而然地談到了陳幹的三次婚

姻。

「為什麼又離了呢?合不來?」小周問。

陳幹搖頭苦笑。

「那是為什麼?」小周緊追不捨。

「一言難盡哪!」陳幹感嘆到。

「總得有原因吧，比如說他，」小周指著我說:「我知道他離婚的原因主要是他們兩人的性格不和。」

「你也離過婚?」陳幹轉向我，彷彿找到了知音。「看不出來嘛，你還那麼年輕。」

「嗯，」我說:「命啊。」

「命?」陳幹顯得很驚奇。但他立即又說，「對，是命。」

「是啊，」我說:「說起來叫人不會相信，當初我和她相愛時，許多人也勸我不要輕率結婚，但我們卻不顧一切地結了。結了，生活了兩年，有了個女兒，又離了。」

「什麼原因呢?」

「說不清。但最基本的原因，我想就是性生活不和諧吧，最後是不得不離了。」

「性生活不協調?怎麼個不協調啊?」

「不好說啊……總之就是她不喜歡跟我睡覺啊。」

「不喜歡跟你睡覺？」陳幹覺得不可思議。他搖頭笑了。

大夥也都笑了起來。

「你愛她嗎？當初？」陳幹又問我。

「我不知道，也許愛吧，但我說不清楚。」

我的故事似乎只是一個引子，它引導了陳幹的心思。沉默片刻，陳幹說：「是啊，人的感情有時真說不清楚。」

於是他告訴我們，他的第一個妻子，是他的一個犯人。她因賣淫被抓進來，人不算漂亮，但很溫柔可愛，很像現在的姚小佩。總覺得她是個好人，不相信她居然會去幹那事。他愛上了她，問她願不願意嫁給他，她不說願意，也不說不願意。後來他找周所長做媒，她嫁給了他。生活了一年多，他才發現她心中原來另有所愛，她始終念念不忘她的第一個戀人，那人是個軍人，現在還在部隊，據說是個小軍官，他們是鄰居，從小一塊長大的，後來又是小學中學的同學。在一次探親假期中，他和她相愛並同居了，他一走了之，而她卻懷上了他的孩子。他不知道，她寫信告訴他，他不回信。她到部隊上去找他，才得知原來他早已成家了。她回來打掉了孩子，但從此萬念俱灰，終於走上了那條路。但多少年來，她始終沒有忘記他，她甚至至今仍不相信他背叛了她。心中有個戀人，身外有個世界。她愛他不起來。沒辦法，最後只得離婚。

離婚後她就走了，去了哪裡，他一點消息也沒有。

第二個妻子，也是妓女，也不算漂亮，但極性感，像林紅（我第一次聽到林紅這名字，就是在這個時候）。這次他主動了，經常私下裡給她一點照顧，她很感激，悄悄給了他身子。他就很捨不得她了，後來結了婚，不到半年，她跑了。找到她家裡，她家人說她去了海南。半年後，她從海南回來，人就不行了，一身病，他不再指望她會好，又離了婚。

第三個還是妓女，同樣是抓進來的。年紀小，才十八歲，被人騙去幹那種事的，進來就有病，後來治好了。她家窮，鄉下人，很可憐。就同情她，由同情而進入愛情。沒怎麼考慮，就和她結了婚。本以為這是最後一次婚姻了，沒想到跟她在一起不到一年，她就提出了離婚，問她理由是什麼，她說沒理由，就是不喜歡他。

「你是不是有病，陳幹？」小周突然插了這麼一句。

「有病？」陳幹紅著臉說：「沒有哇。」

「你一個月有幾次性生活？」小周又問。

「幾次？」陳幹支吾著說：「唔，三五次吧。」

「說實話。」小周道。

「一般，一般是三次左右。」

小周笑了起來。

「這不夠，」小周說：「像他們這樣年紀輕輕的，一個月二十次也不算多，當然最好是一天一次。」

「你開什麼國際玩笑。」陳幹也笑了起來。

「真的，沒跟你開什麼玩笑。」小周轉向我，說：「他的問題是女方性冷淡，你的問題是女方年紀太小，都有問題，所以注定要離婚的。」

「年紀小應該不是個問題吧？」我說：「宋慶齡比孫中山小好幾十歲，你又怎麼解釋？」

「太小了就有問題。」小周堅持說。「是吧？陳幹？」

「不懂。」陳幹說，答得很老實。

「你應該總結經驗，陳幹，我不明白你怎麼老是找妓女結婚？」我對陳幹說。

「這是沒辦法的，誰不想找個黃花閨女成家啊，但我在這牢裡，一天到晚跟犯人打交道，我能去哪裡找良家姑娘呢？再說，成天和她們在一起，時間長了，就會有感情，我想這一點你們應能理解。」

我於是明白，環境是很重要的，環境很容易改變一個人，甚至決定人的命運。而當時我根本沒想到，我後來的遭遇和命運，全部印證了這一點。

5

第二天我問楊幹，陳幹說的這些是不是事實？楊幹說：「狗屁，你不要聽他瞎扯。」又說：「媽的，佔了別人的便宜，還想裝好人，真不是東西。他呀，說穿了，是愛這一口。什麼結婚離婚，全扯蛋。這是他的藉口，其實他心裡呀，是想睡遍這一院子的女人。」

聽楊幹這麼一說，似乎也有些道理。但我總覺得陳幹不至於會這麼想的，畢竟從我們對陳幹的瞭解和接觸來看，陳幹還算是個有修養也有良知的人。

但楊幹說：「你錯了，你全被他的偽裝所蒙騙了，跟你講，老趙老李是不講究包裝的那種貨，明著來，表現得直接一點，粗魯一點，但讓人看得透，而陳幹就不同了，表面上見人三分笑，但你全不知他心裡想什麼。說句通俗的話，老趙老李是先說後幹的人，而陳幹是先幹了再說的人，其實兩種人都是一路貨色，但要說厲害，我看還是陳幹厲害一點。」

我笑了。楊幹以為我不信，又說：「好，你可以不相信我的話，再過些時候，我想不用我說你也會明白的。」

我不想和楊幹討論下去了。我想人們總是喜歡從自己的角度出發去看待問題，而事實上

任何事情都並不是那麼簡單的。

上午我和小周作了分工，由他繼續提審犯人，而我則到所裡的醫務室去瞭解有關性病的情況。

胡醫生接待了我。胡醫生面目和善，身材略胖，年紀在五十歲左右，她給人的感覺是富有愛心同時對醫學極有經驗。

胡醫生給我提供的情況使我大為震驚，她說在所裡關押的這三百名妓女中，只有一人沒有性病，她就是一個叫林紅的女孩子——這是我第二次聽到林紅這名字，而這一次，她的名字在我的腦海裡烙下了深深的印象。

我實在不敢相信，像楊麗麗這樣美麗的女子，居然患有嚴重的淋病，一得知這消息，我頓時感覺著與楊麗麗有了一定的心理距離。彷彿如同她背叛了我一般，我突然一下子對她失去了好感和信任。

在此之前，我對性病的知識等於零，而後來對於性病情況的瞭解也全部得益於胡醫生的介紹。

事隔多年，我現在已把這方面的有限知識忘得差不多，不得不去重新找我當年留下的一些日記。下面便是我的一段筆記的摘錄。雖說時過境遷，世界的面目已有了根本的變化，但當年所記錄下來的這些情況，仍使我覺得新鮮和震驚。

△性病的概念：性病在舊社會稱為花柳病，意思是尋花問柳得來的病，它包括淋病、梅毒、軟下疳、性淋巴等症狀。具體定義就是通過性交傳染、主要損害發生在生殖部位的疾病。

△性病現已擴大到二十多種，認為由性交或性行為引起的生殖器部位甚至侵犯泌尿系統和全身其他系統的性傳播疾病，也應屬性病範疇。一九七六年，世界衛生組織擴大了性病範圍，把生殖器皰疹、尖銳濕疣、滴蟲病、生殖器念珠菌病、疥瘡和陰虱病包括進去。

性病中最嚴重的是愛滋病，次為梅毒。晚期梅毒一半以上可使患者殘廢甚至死亡。

△全世界性病發病率為四人／秒。

△美國淋病比梅毒多十—五十倍，而非淋病尿道炎比淋病多十倍，梅毒占第三位。

△美國百分之五的女青年在十五歲以前有性生活，每年至少有一百萬人懷孕，三十萬人墮胎。

△南非有一個州四分之一—五分之一的婦女有性病。

△中國：解放前性病在中國流行，梅毒在一些城市醫院門診中占百分之四．五—百分之十。

△五〇年代北京解放的一三〇三名妓女中，梅毒患者占百分之八四．九，淋病百分之五

三·八。

△一九六四年，在北京的國際會議上，胡傳奎宣布我國基本消滅性病，震驚世界。

△一九七八年，新疆部分地區發現有早期梅毒患者，一九七九年在那裡辦了一個性病學習班。

△一九八五年廣州發現約五萬人有性病，一九八八年已擴展到幾百萬人。

△廣西從一九八二至一九八六年，共發現淋病患者八〇六八例，占性病患者總數的百分之九九·一二；梅毒十七例，占百分之〇·二一；尖銳濕疣二二例，占百分之〇·二八。

△貴州一九八八年抓獲暗娼二七九七人，發現性病患者二九六八例，貴陽市性病發病率與英國相同。

這些數字在今天看來確實已不算什麼了，但在當時，我們是深為咋舌驚奇的。社會在發展，時代在前進，而許許多多的數字自然也在增長，這也彷佛是自然規律一般的。

「那麼，本市呢，本市的情況怎麼樣？」記得我當時正是這樣好奇地詢問胡醫生的。

「本市嘛，」胡醫生說，「一九八五至一九八六年，抓獲嫖客妓女一九七三人，一九八七年抓了一二三九人，一九八八年抓一〇〇九人，性病患者占百分之八〇以上。」

「有這種病的人有何症狀，很痛嗎？」

「輕微患者是看不出來的，有的甚至沒什麼感覺，因為性病都有潛伏期，有些病是周期性發作的，如梅毒，潛伏期很長，差不多要到晚期才有明顯症狀。」

「太可怕了！」我搖搖頭說。

「你看那位小姑娘，」胡醫生指著院子裡梧桐樹下正在玩耍的一位妓女對我說：「她剛來的時候，路也走不動，一檢查，是淋病，相當嚴重了，下面全爛了，她不知道，只是覺得痛、癢、辣，不及時找醫生治療，很危險了，再拖延幾天，她就廢了，幸好來得及時，我們給她治，天天給她打青黴素，打得她屁股的肌肉都起硬塊了，但現在好多了，你看，她不是在那裡跳著玩？」

我看了那妓女一眼，是個很普通的女孩，年紀不到二十歲，衣著也極樸素，大約家境不太好，我問胡醫生她叫什麼名字？胡醫生說她叫顏如月。我笑了起來，說顏如月應該很漂亮呀，可她並不漂亮麼。胡醫生說，那是她父母的願望，大約希望她漂亮一點，長大後嫁個好人家，有前途。

「她沒父母了，很可憐。」胡醫生補充了這麼一句。

「噢？沒父母了？」我一下子對顏如月有興趣起來：「死了？」

「不知道，她不肯講，聽說她好像是棄女。」

我謝過了胡醫生，就朝顏如月走去。

「玩什麼呢？妳們。」我遠遠地就向顏如月及她周圍的幾個夥伴打招呼。原來她們正在爭著把一片雞毛吹上天，雞毛卻總是飄不起來，待雞毛一落地，她們就發出一陣哄笑。看見我走過去，她們便停止了遊戲，帶著疑惑的目光盯著我。

「叫什麼名字，能自我介紹一下嗎？妳們。」

經過兩天的接觸，她們對我也有點熟悉了，見我並不是去找她們麻煩的，就很開心的笑了。

「我叫吳艷萍。」

「我叫聶英。」

「我叫董小香。」

「妳呢？」見顏如月不說話，我故意問她。

「顏如月。」

「哈……哈……」顏如月剛報完自己的姓名，幾個女犯就大笑起來。

「笑什麼，妳們笑什麼？」我不明白她們為何發笑。

「她說她叫顏如月，嘻……」一位女犯笑得差不多背過氣去。

這時我看見顏如月的臉漲得通紅，我這才明白大夥原來是嘲笑她的長相配不上這名字。

的確，顏如月在長相上太一般化了，甚至可以說有點醜陋，臉上長著大大小小的青春痘不說，嘴角還有些往左歪。身上也顯得有些髒，像邊遠鄉村的孩子。

我哄走了那幾位嘲笑她的女犯，然後給她拿了一張凳子叫她坐下。

「我們隨便聊聊好嗎？」我對她說。

「嗯。」她應了一聲。

「多大了？」

「十六歲零三個月又十二天了。」

「十六歲？」我實在不敢相信，眼前這位女孩竟然只有十六歲，而且她居然把她的年齡記得那麼準確。

「妳怎麼把妳的生日記得這麼準確呢？」

「我是七月四號出生的，所以到今天剛好是十六歲零三個月又十二天。」

「這是我唯一該記住的東西。我媽生下我，就把我丟了，丟在路邊，上面留著一張紙條，寫著我的出生年月日，後來有人撿了我，把我養大，他們就是我現在的爹媽，但他們對我並不好，我現在這個媽是個擺小攤的，一天到晚忙，在外面經常受人家的氣，她回來就拿我出氣，經常打我，我爹更凶了。他天天喝酒，喝醉了就罵人打人，他們把我當牛馬使，我做事稍不順她們的心，就罵我是撿來的小賤貨、小雜種，他們說我是七月四號生的，所以我

記得很牢。」

「妳怎麼進來的呢？」

「我爹媽打我，往死裡打，我寒心了，跑出來，沒辦法，後來就被抓了。」

「在哪裡被抓，怎麼被抓？」

「在秀樓旅社，是和陳艷如一起去的，一去就被抓了，公安局的人等在那裡。」

「和陳艷如一起去的？陳艷如是誰？」

「你不認識陳艷如？」她反倒問我：「那天你們不是提審過她了嗎？」

陳艷如，這個名字我有印象，但人卻記不起來了。「哪一位，能指給我看嗎？」

她看了看院子裡的女犯，說：

「不在，可能在床上睡覺，她可愛睡覺了，我們叫她睡覺大王。」

「好，一會兒我再去找她，現在妳告訴我，妳們是怎麼認識的，又是怎麼幹上這個的，總得有個過程，有人介紹，是吧，好，妳能不能從頭說起？」

「唔……」她沉吟了一下，然後說：「開始是馬遠飛帶我去的，馬遠飛他說和我交朋友，他睡了我，說很喜歡我，願意和我結婚，但他沒有房子，也沒有錢，他就叫我去幹這個。」

「等等等等，妳不能從頭說起嗎？馬遠飛是怎麼回事？他是什麼人？你們怎麼認識的

呢？哎呀，妳說話怎麼這麼缺乏邏輯性呢？」

我有些不耐煩了，對她流露了一點指責的意思。她便低下頭去不說話了。

「好吧，從頭說起，好嗎？」我對她的故事非常感興趣，稍稍冷靜之後，我又開始問她。

「這個也要說嗎？」她怯怯地問道。

「什麼哪個這個？」她把我搞糊塗了。

「我和馬遠飛的事。」

「那當然，」此時心裡對她充滿了怨氣，差不多想罵她是個白癡了。「從頭說起，什麼叫做從頭說起呢？就是把妳從家裡出走後的一切情況都告訴我，一切情況，懂嗎？就是從離家那天後的每一天每一時刻每一秒所發生的事情，全部告訴我，知道嗎？」

「我離家出走那天是八號，到今天剛好是兩年零四個月又九天了。」

「噢，」她的回答真叫人哭笑不得，但又不能不叫人嘆服她的記憶力。

「我哭，我没地方去，我很傷心。」

「噢，那妳怎麼辦呢？」

「我就去找馬遠飛。我曉得他對我好，他過去常常送我糖果吃。」

「噢，馬遠飛。他對妳好，他送妳糖果吃，為什麼呢？」我不得不耐心啟發她。

「他住在我們院子裡，他從小就做小偷，摸包兒，人家都叫他摸包兒。你知道摸包兒是

什麼意思嗎？」

「我知道。」

「他過去經常偷東西給我，他偷人家的梳子送我，他還送過我一串項鍊。」

「嗯嗯。」我忙不迭的點著頭。

「我没地方去，就去找他，他就帶我到老圍家，他們倆總在一起，我一去，他問我為什麼哭，我就說我不想回家了，我爹媽打我打得凶，他就說，好吧，妳從今往後就住老圍這裡，這裡是我們的家。」

「老圍是個什麼樣的人？他住這裡？」

「這些我都講過了，我全交代過了。」

「不，講過了也還得講，今天是我在問你，懂嗎？」

「好吧，我以為講過就不講了，還要講呀。」

「對，還要講。」

「老圍是馬遠飛的師傅，他住水井巷四十八號，那裡差不多是鄉下了，你没去過水井巷吧？」

「没去過。」

「水井巷的人全會偷，出名得很，公安局每隔半月去哪裡上一次稅，上稅，你懂嗎？」

「不懂，上什麼稅？」

「罰款，」她笑著說：「沒錢抓人，有錢罰款。」

「哦。」這於我確實是頭一次聽說。

「老闆，我，馬遠飛，我們住在一起，住了一年多，老闆就出事了，殺人，被抓進去了，後來那一段時間風聲緊，馬遠飛也不敢出去了，就叫我去幹這個。他把我帶到秀樓旅社，叫我在那裡接客。我一共去了十四次，到第十五次，我和陳艷如一起去，沒想到秀樓旅社早被查封了，我們是自投羅網。」

「十四次，那每次得多少錢呢？」

「最低？」她低下頭說，「最低是五塊。」

「五塊？」我驚訝道：「這麼低呀。」

「沒辦法呀，要吃飯，要活下去，五塊人家還嫌多呢。」

「妳有病妳知道嗎？」

「知道。」

「什麼時候知道的？」

「到這裡來的第三天，搞檢查，胡醫生告訴我的。」

「以前妳不知道？」

「不知道，只知道痛，癢。」

「痛了妳還不知道有病哪？」

「我以為是被他們搞多了痛的，沒想到是病。」

「妳爹媽來看過妳嗎？」

「沒來過。」

「他們知道妳在這裡嗎？」

「知道，市局的人通知了他們。」

「馬遠飛呢？他來看過妳嗎？」

「沒有。他恐怕不曉得我進來了，我進來之前，他去了海南，他說去搞一筆錢來和我結婚。」

「妳愛他嗎？」

「嗯。」她點了點頭。

「他呢？他是不是愛妳？」

「嗯。」她又點點頭。

我突然不知道該對她說些什麼了，儘管她口頭表達能力極差，但我還是明白了她大致的情況。這是一種生活在社會底層的人，她跟楊麗麗是完全不同的兩種類型。她沒有任何一個

可供自己生活下去的資本，甚至沒有夢想，沒有驕傲。她之所以走到今天這地步，完全是生活和命運的安排，對此，她是連抗爭的能力也沒有的。但奇怪的是人們對於像她這樣的女人從來不可能寄予同情，甚至人們恨她，討厭她，鄙視她，嘲笑她。我想起跟楊麗麗談話時她說過她很看不起那種五塊錢也幹的女人。是的，五塊錢，對於今日世上的大多數人來說都不值得一提、不當一回事，而在顏如月哪裡，卻是很大的收入了。

「妳讀過書嗎？」我最後問她。

「讀過五年級。」

「五年級？」這倒是我料想不到的。「那妳會寫信了？」

「會的，我給馬遠飛去信了，但他可能收不到，我不知道他現在的地址。」

我正想問她不知道地址怎麼去信，這時小周很興奮的走過來對我說：

「告訴你一個特大新聞。」

「什麼新聞？」我茫然不解的問。

「我今天提審了兩個女犯，居然是一家人，母女倆，你想得通想不通？」

「哦？」這的確是個意想不到的典型材料，「真是那麼回事？」

「騙你幹麼。」小周說。

吃午飯了。

女犯們敲著洋瓷碗，排著長隊，等候在食堂門口打麵條。

自從我們進入所裡調查以來，從未見過她們吃過米飯，一直吃的是麵條。我覺得奇怪，問楊幹，楊幹說有麵條吃就不錯了，還想吃白米飯？接著又給我解釋，說有的，米飯是有的，一星期吃三餐。「為什麼這麼少呢？」我問。

「沒錢買米啊，」楊幹說：「她們交不起錢啊。」又說：「你別看她們一個兩個穿得花枝招展，但叫她們拿出幾塊錢來卻捨不得。」

「她們不是很有錢嗎？」我又問。

「她們是很有錢，但都被公安局沒收了，你沒聽說吧，邢正仙她娘兒倆的存册據說是八萬元，全被沒收了。」

「就是那鄉下來的母女倆？」

「除了她倆還有誰？」楊幹帶著嘲諷的口氣說：「天底下娘兒倆同去賣淫的，大概也只

6

有她們了。」

楊幹補了一句：「真不知她們怎麼想的？」

接著楊幹又告訴我，進所以前，陳艷如有三萬，楊麗麗有一萬，葉梅大概也差不多一萬吧，其餘的都是幾千元不等。

「都沒收了？」我問。

「那還能留著啊，」楊幹說：「你想留給她們開妓院呀。」

「不退還她們了？」

「不知道。我想是不會退了。」

「真可憐。她們這些錢可得來不易啊！」我感嘆著說。話一說完，就覺得說這話有些不妥，心想這很有失身分的，於是又補了一句：「不過，也活該。」

「活該什麼呀，這叫報應。」楊幹說：「這些人啊，原來都是在大賓館裡泡的，天天雞鴨魚肉，吃膩了，現在來這裡換換口味。」

「不見得都這樣吧，楊麗麗可以在大賓館泡，但顏如月恐怕不行吧，她去準被保安人員以污染環境有損市容為由給兩大腳踢出來。」

楊幹又說：「顏如月？哼，你小看人了吧，她可一直是在廣州白雲賓館泡大的，你小瞧她了。」

「上午你跟她聊了些什麼內容？還談得夠親密的，收穫不小吧。」

我不相信顏如月會騙我，但經楊幹這一說，我也有些犯糊塗了：「她的腦子是不是有點問題？」

我的意思是懷疑她在神經系統方面有些毛病。

「她的問題多了。」楊幹說：「她不僅腦子有問題，她到處都有問題。」又說：「她一個晚上跟十四個男人睡覺，你信嗎？」

「不可能。」我說。

「這就是你的幼稚了吧。好，我不說了，你自己去問她好了。」

小周給我打來了麵條，我們就蹲在梧桐樹腳下吃了起來，那些打了麵的女犯們也三三兩兩的從我們面前經過。

一會兒我看見了麗麗，跟她點點頭。她笑著衝我說：「同甘共苦噢。」

我站起身來，迎上去，問：

「吃麵條，習慣嗎？」

「不習慣也得習慣啊，」她依舊笑道：「不瞞你說，我這輩子，從小到大，在進來以前，還從沒吃過這麼差的伙食，剛來的時候，我一口也咽不下，但現在，你瞧，這一大碗也嫌少了。環境改變人哪。」

楊麗麗笑著走開了，她把麵條端回牢房去吃。楊幹告訴我說，她倒是不用同情的，同情她的男人多得很，每隔兩三天就有男人給她送來這樣那樣的補品。

「她有的是錢，」楊幹說：「她在公安局裡有人，人家沒有沒收她的存款。」

我又一次感嘆，美麗確實是一筆財富。

恰好這時邢正仙母女倆從我們面前經過，小周叫住她們，對我說：

「介紹一下，她們就是邢正仙和寧小琴。」

母女倆衝我點頭笑。我見那邢正仙大約不過四十來歲，果然有些姿色。寧小琴則不到二十歲，也相當漂亮，按小周的說法，是可以打紅分了。

從外貌上看，邢正仙母女倆沒有太多的共同特徵，如不經人指明，不會看出她們是母女關係。

邢正仙較胖，很像電影中那些富貴人家的婆姨。寧小琴也不失豐滿，長了一口白淨好看的牙齒，加之年齡不大，臉上的水色很好。這樣的女人，是不能不叫人喜歡的。

「伙食還習慣吧。」我問。但我心裡想的卻是另一個問題，楊幹說她們存款有八萬元，我信了。

「還習慣，還習慣。」邢正仙堆下笑臉說。但那笑容是一種很慘淡的笑容，給人以曠世的憂傷感覺。

寧小琴低著頭，眼盯著碗裡的麵條，不說話。

我看著她，想問點什麼，卻又一時找不到話頭。

見我不發話，邢正仙說：「沒事吧？」

「沒事，」我說：「妳們去吧，快去吃麵，麵條快涼了。」

她們感激地走開了。

小周告訴我，這母女倆是從小縣城裡來的，先前是搞些長途販運的生意，後來發了，在省城裡租了一套房子開飯館兼營旅社。為了賺錢，邢正仙從鄉下弄來一些姑娘招攬客人，後來不想自己也搭進去了，再後來連自己的女兒也搭進去了。

我心想，如果是這樣，那麼八萬塊的存款於她們也未免太少了。

「她男人呢？」我問。

「她男人早就和她離婚了，她男人據說是縣政府的一位幹部，聽不得有關她與別的男人風流勾搭的傳說，跟她鬧離婚，而她卻也不含糊，說離就離了。

「從此……」

「從此上了道。」

我不由得感慨起來：「每個人都是一本書啊，」

「是啊，」小周也說：「而且都是厚厚的一大本。」

7

下午我和小周就回城去了。婦教所裡清湯寡水的伙食終於使我們感到了身體的不適，我們得進城去換換腸胃，同時也出來呼吸一點新鮮空氣。

小周回父母家，我則只有辦公室。我沒有家了，半年前我就沒有家了。我以辦公室為家。我一無所有，只有一張摺疊床。辦公室是公眾場所，人來人往，我既沒有任何秘密可藏，也沒有任何自由和隱私。

但縱然是這樣，我也仍然感覺到這裡比婦教所好幾十萬倍。幾天下來，我們感覺著自己也關著了很久，現在就彷彿是被釋放回家了。

吃過晚飯我就想打開摺疊床睡覺，畢竟也無事可做，也沒有一個好的去處。但李所長的兒子卻偏偏開門進來複習功課。我一下子睡意全消，只好爬起來重新穿好衣服跑到大街上閒逛。城市的夜晚依然燈紅酒綠，大街上也仍舊總是青春男女的世界，我在一家舞廳門前停下步來，但僅僅站了不到幾秒鐘就走開了。

我漫無目的地走了半天，終於感受到無家可歸的滋味。我太渴望能有一個小小的空間

了，一個完全屬於自己的空間。哪怕只有幾平方米也行啊。但是沒有。單位上有的是房子，但他們就是不願分給我。他們說，像我這種情況，應該是和前妻平分原來的住房，道理似是不錯，但須知我和前妻原來也只有一間房子，又如何平分呢？隔成兩半？那也不過才十幾平方米，怎麼隔法呢？況且，就是有很寬的房子，我也不想隔。因為對於當時的我來說，根本不想再跟前妻有任何瓜葛和關係。

但我突然想去看看她，她怎麼樣了呢？女兒怎麼樣了呢？為了報復我，她把我們的女兒送到鄉下她父母家，她不想讓我見孩子，她顯然把這一著視為最得意的高招，因為她知道我很愛孩子，也離不開孩子。

我突然又不想去見她了，不知不覺來到了工人文化宮門前的花園，也很累了，想找一個地方坐下來休息一會兒。但所有的地方都有人，所有的長凳都被一對對的情侶霸佔著。月色朦朧，風輕夜迷，這樣的夜晚確實是情侶的天堂。

一個熟悉的聲音吸引了我，循聲看去，猛然見得月光下一對情侶正在黑暗處輕挑，而借助於舞廳裡傳來的燈光及朗朗的月色，我看到那男的正是我們單位的老秦。女的卻不認識，但我肯定不是他的老婆。我怕眼睛昏花弄錯，便裝著漫步的樣子走近了看，果然是老秦。

老秦似乎發現了我，他把頭埋了下去，聲音頓時變小了。我裝著沒看見他們的樣子，從容走開。

老秦不僅是我們單位機關黨委的副書記，而且還是一九四九年以前參加革命的老幹部，平時見人三分笑，樣子是很和善誠懇的。且他和老婆的關係一直很融洽，從未聽說過他們有什麼爭吵。但眼前所見不由得叫人不解，這個女的跟老秦又是什麼關係？為何敢於如此大膽地在這公園裡幽會呢？我始終百思不解。

回到單位辦公室，李所長的兒子已回家了，我重新打開被子準備睡覺。但我卻怎麼也睡不著。我突然想念起婦教所來。不管怎麼說，在婦教所，不會感到孤單和寂寞，而且我受到他們的尊敬。我決定明天一早便回婦教所去。

第二天我給小周去了電話，便獨自趕往婦教所了。我給女犯們買了許多東西，這都是我們臨走時她們交代幫買的。有的要信封，有的要食品，有的則要女性專用品，但要得最多的是日記本。

回到婦教所的當天下午，我開始單獨提審陳艷如，因多人提過她的名字，也提到她於秀樓旅社的關係，使她這名字富有許多神秘色彩。

我決定揭開這個神秘的面紗。

因我們來調查的時間長了，和幹部們的關係已混得很熟，我便提出在院壩裡提審陳艷如，這樣我感覺要自在一些，也使對方不至於過分地拘束。

那天下午有暖暖的陽光照耀，給人以懶洋洋的感覺。我和陳艷如就坐在梧桐樹下的木椅

上交談。

她臉上充滿倦意，一副永遠睡不飽的樣子。難怪顏如月稱她「睡覺大王」。

她很美，我不知該怎樣來描繪她的形象，只感覺著她有一種與眾不同的氣質和美，這種美是明顯的區別於楊麗麗的。如果說楊麗麗的美可以概括為「艷麗」的話，陳艷如的美則可以表達為「淡雅」。

是的，她有一種質樸的美，這種美表明了她去學生氣質未遠，她畢竟才剛剛高中畢業，且是這數百女犯中唯一的高中畢業生。在進入婦教所調查之前，從公安局那裡獲得一份被抓的妓女名單，我們看到上面有些妓女的文化程度相當高，甚至有大學生和研究生，而職業也來自五花八門，有醫生，教師，企業單位職工，等等，當然最多的仍是社會閑雜人員，無業者。我們一直想找一位有較高文化程度的妓女作為典型的調查對象，卻因種種原因未能如願。

現在，我抓住了陳艷如，這個美麗而睡眼矇矓的妓女。

有文化與沒文化就是不一樣，跟在我前面接觸的妓女相比，陳艷如顯得狡猾多了。她絕不主動暴露自己的隱私，就是我提到的問題，她也回答得十分簡單，扼要。

我問她為什麼不想跟我談談自己的思想，她說：「我沒思想，我沒什麼好談的。」

這使我很尷尬。

出於無奈，我不得不對她採取欺騙手段，我說我可以幫助她早點出去。

「是嗎？」她聽了果然睡眼大睜，「那我會感謝你的。」

事實上我根本無力幫助她，不過我想給她一個希望也好，免得她如此地萎靡不振。但我萬萬没想到，聰明的陳艷如早已看透了我的心思，她反過來利用了我，使我後來大受其騙，後悔不迭。這是後話了，暫且不提。

陳艷如的故事可以說很複雜，也可以說很簡單。複雜在於她給人留下的秘密太多，簡單在於她那種過分地自然而然的經歷。

她來自一個邊遠的小縣城，上有父母，下有兄弟姊妹，她排行老二，乳名燕子。從小受寵。天資聰慧，機敏過人。六歲上學，十六歲入高中。就在那年，她戀愛了。她愛上了一個社會青年，她想學電影中的那些下嫁平民的公主，瘋狂地、不顧一切地愛那位青年。家人勸說，學校教育，均無效，一年後，她為那位青年做了第一次人流手術。到了十八歲高中畢業，她做了第六次人流手術。她高考落榜，家人對她失去信心。而可悲的是，她的白馬王子亦抛棄了她。她萬念俱灰，終於含淚離家出走。天涯海角，隨風漂泊。她不再顧及一切，只要男人肯出錢，她就願意脱下自己的褲子。當然，憑著她的長相，她的氣質，她没有勾不上的男人。

後來在省城，她偶然結識了秀樓旅社的老闆孫世奎。孫外號「阿三」。數年前曾為中共派駐香港的特工，因犯生活作風錯誤而被解職歸田，幾年前流落省城，早已是江湖中人。孫

世奎經營的秀樓旅社一直是賣淫嫖娼的秘密窩點，孫認識陳艷如後，即通過陳艷如大肆招攬賣淫女子，孫的秀樓旅社的生意頓時大為紅火。後因目標太大，被市局搗毀，孫被捕。而陳艷如卻不知消息，依然在外牽線搭橋，在她的努力下，四方嫖客源源而來，八方妓女蜂湧而至，卻不料在秀樓旅社接待他們的，早已不是色膽包天的孫世奎孫阿三，而是公安人員和打防人員。

陳艷如那天和顏如月趕往秀樓旅社的時候，她們是滿心喜悅的，因為她們已經在南方賓館談成一筆生意，只是考慮到為了確保安全，她們決定在秀樓旅社來成交。那天她的開價是三百，一個下午。

「你對任何男人都無所謂了？」我不解地問：「只要給錢，妳就幹？」

「嗯。」她點頭回答。

「我不明白這對妳有什麼好？」

「我也不知道有什麼好。」她想了想，又說：「我無所謂好壞的。」

「那麼，妳這是出於什麼目的呢？或者出於什麼樣的動機呢？」

「沒有目的，也沒有動機。」

「不可能，」我說：「總得有點什麼，為了報復那男人？妳的第一個戀人？」

「不知道。」她笑道：「我現在都不記得他的樣子了。」

「那麼，妳被抓進來後，妳有什麼感想？」

「沒有。」她西方人似的聳聳肩說：「我覺得就像從一個地方搬到了另一個地方。僅此而已。」

「沒有感到恥辱，後悔什麼的？」

「沒有。」

「那麼妳怎樣看待妳的這種行為呢？」

「行為？」她笑道：「賣淫行為？」

「嗯。」

「一種謀生方式。」她說。「這就跟你靠寫文章生活，差不多，形式不一樣，實質相同，都是為了活著。」

我意識到自己面對的是一個很強的對手。

「聽說妳有三萬塊錢的存款，妳原來準備用那些錢來幹些什麼呢？」

「我什麼也不想幹，只不過用不完，我臨時存的。」

「妳不願和我說實話，是嗎？」

「什麼呀，我說的可是大實話，你居然不相信我？」

「好吧，我相信妳。」我接著說：「三萬元，這可不是一筆小數目，現在被沒收了，妳

心痛嗎?」

她一下子沉默了。

良久，她搖搖頭，輕聲說：「這是我的命，由它去吧。」

她這麼一說，我真的不知道該說些什麼了。沉默良久，我說：「好吧，今天就到這裡，如果有什麼需要幫助的話妳儘管開口，好嗎?」

她點點頭，收拾自己的凳子走開了——因怕性病傳染，女犯們的凳子都是個人專用的，每人一隻方凳，未經允許，不得坐公共條凳。

看著她遠去的背影，我想，世上妓女有幾千萬種，她也算其中一種吧。

8

晚飯後楊幹來邀我到湖邊散步，為了避嫌，她臨時邀了一個女伴和我們一道去。

那女伴叫什麼來著，長什麼模樣我現在已忘得一乾二淨了。我只記得她的笑聲很粗糙，像中年男子的聲音，她不喜歡說話，偶爾插一兩句進來，也毫無幽默感。她也是新來的幹部之一，據說是從婦聯來的。

我們翻越婦教所背後的山包，在那裡看了一會兒夕陽。夕陽很美，也很溫柔，映著湖面，一片血紅。山上有紅子，也是火紅的一片。人浸泡在這輝煌的色彩裡，一股莫名的愁緒就會湧上心來，感覺著夢裡不知身是客了。

夕陽漸漸黯淡下去之後，我們便沿著湖邊信步漫遊。湖邊種著一些半大的柳樹，葉子差不多也落盡了，只餘下密密匝匝的枝掗。湖裡有魚，不時躍出水面，吃湖面上成群低飛的蚊子。

「來了這幾天，有何感想？」楊幹問我。

「感想？」我一時還理不出頭緒來。「感想麼，好像也有不少，但卻不知從何說起。」

「你怎樣看她們？」

「我覺得她們挺可憐的。」

「可憐？」楊幹驚訝的地叫道：「你同情她們？」

「難道妳不同情她們嗎？」

「你這種想法太危險了。」楊幹看了我一眼，面帶一種怪笑，說：「真的，你的想法很危險。」

「是嗎？妳說，怎麼個危險法。」

「你想和她們睡覺，是嗎？」

「此話從何說起？」

「你不管從何說起，你老實告訴我，你有沒有這個念頭，就是想和她們中的哪一位，或者是任何一位，睡上一覺，你說，有沒有？」

我一時語塞。

楊幹的女伴粗聲粗氣的大笑起來。

「不敢面對自己的靈魂了吧。」楊幹笑道。

「當然，」我很委婉地說，「我也是一個人，一個男人，我也有慾望，不過——」

「不過什麼？」

「不過我不會跟她們睡覺的，我想。」

「為什麼？」

「不為什麼。」我說。

「還是沒有勇氣直對靈魂。」楊幹又笑道。

「妳的意思是說，只有想跟她們睡覺的男人才是正常的男人嗎？」

「我可沒那麼說。但我想天底下的男人，只要是性功能健全者，沒有誰說他不想跟女人睡覺的，尤其是面對那種可以不負任何責任的性關係的時候。」

湖的盡頭，是一道緩坡，再過去，則可見一帶雜樹林子，林子過去，則是幾户疏落的農

舍，我想那可能是一個自然村寨了。

「你不是不想，而是不敢，對嗎？」楊幹嘲弄似的對我說：「得有條件，是嗎？」

我不知該如何回答她的話。我想按道德的約束，人們應該有一種有序的健康性關係，但道德又是什麼呢？當今世界，衡量道德是與非的標準又是什麼呢？

的確，作為一個男人，我並非不對女人抱有性的幻想，相反，我對這樣的事情，極為敏感，極為渴望。但我害怕責任，真的，我害怕負擔任何後果和責任。

我說過，我是一個剛剛離過婚的男人，我有過性的經驗，而現在，我已經差不多有半年多沒有過性生活了。

楊幹的女伴顯得有些不好意思，天畢竟就快要黑了，我想黃昏時分，很容易勾起人的情慾和幻想，她笑著罵楊幹：「妳不要說得這麼粗俗好不好？人家可是個有教養的知識分子噢。」

「楊幹說的不錯。」我笑道：「不過人是很難說得清楚的。」

「你們知識分子就是虛偽。」楊幹說。

天上出現了星星，天說黑就黑了，我不敢再走下去，我說：「回去吧，等一下就看不見路了。」

楊幹歎了一口氣，折轉過身來，往回走。

「妳以為賣淫這種現象可以消滅嗎？」我突然對楊幹提了一個很乏味的問題。

「我不知道，」她笑道：「我還正想請教你呢。」

「我也不知道。」我說。

楊幹看了我一眼，突然大笑著向前跑去，跑了一段，她回過頭來大聲說：「真有意思，我們都不知道，是呀是呀，我們什麼都不知道，不知道從那裡來的，現在身在何處，也不知道什麼時候到哪邊去了，是呀是呀，我們都是一群大笨蛋大傻瓜大憨包。」

楊幹的女伴轉臉對我，「她簡直像個瘋子。」

「她以前常這樣嗎？」我問。

「經常這樣，」女伴說，「莫名其妙的。」

楊幹在前面停了下來，我們迎上去。

「妳瘋夠了沒有？」女伴問。

「我瘋了嗎？」楊幹回頭說：「我真的瘋了嗎？」

又說：「我真瘋就好了。」

「還在想他？」我問。

她沒有答話，眼睛直楞楞地盯著我，許久，她說：

「哎，你說，我去賣，有人要嗎？」

我拉了她一把，說：「走吧，別說傻話，他過幾天會來看妳的。」

「我不喜歡你這麼對我說話。」她沉下臉說。

「怎麼啦？」

「別把我當小孩，我可不喜歡別人在我面前裝大人。」

我們默默走過山坡小徑，山風悠悠吹來，感覺著身子是一陣陣寒涼。

「哎，我真想當妓女去。」楊幹突然說。

「真想？」我笑道。

「真想。」

「好，那我第一個去嫖妳，妳開個價。」

「五十，一百塊，你隨便給吧。」

「那說定了，什麼地方交貨？」

「你看那裡怎麼樣？」她指著前面的一塊草地說。

「好，那她怎麼辦？」我指著她的女伴說。

「她呀，她是皮條客，我會給她好處的，叫她站崗放哨正好。」

說著她又一陣浪笑，拉著女伴向前奔跑，直跑到鐵門那兒才停下來。我也快步追上去。

她們倚著鐵門，大口地喘氣，大聲地笑著，陳幹過來開門，問我們笑什麼，楊幹說：「笑什

麼，笑他腦子有毛病。」

一進院子，又聽到女犯們在唱歌。

周所長回來了，問我調查得怎麼樣，我說很滿意，再待一兩天，就可以回家了。

老趙老李依舊和楊麗麗葉梅她們在屋子裡搓麻將，我過去看了一眼，發了一圈菸，楊麗麗瞟了我一眼說：

「什麼時候學會這麼懂事了？」

「妳可不要污蔑我，我對朋友向來都是赤膽忠心的。」我向著老趙老李：「是不是老趙老李？」

「不錯，不錯不錯，你這朋友還真不錯。」

走出屋外，我突然感到很噁心，也很悔恨，為自己的卑鄙行為和舉動。也為自己扮演的這一可憐的社會腳色。

我希望早日結束我們的調查。我是一個學者，應有自己獨立的人格，用不著這樣世俗，這樣無聊，這樣低三下四，這樣卑鄙齷齪，虛假偽善。

我整理了一下調查筆記，把幾天來我們所接觸到的妓女分為三種類型。

一、街頭妓女，俗稱「野雞」、「雞婆」，其主要特徵是在街頭遊蕩拉客，客人上勾後

隨客去淫亂，每次價格在二十到五十元之間，價格低廉，故稱「低檔妓女」。

二、窩點妓女，又稱妓院妓女，有固定的地方供其賣淫，如秀樓旅社即是，此類妓女的要價高略於第一類，一般在五十到八十元之間，故又稱「中檔妓女」。

三、包月妓女，即在一定時間內專為某一老闆、港商提供性服務的妓女，先付訂金，隨叫隨到，此類妓女喊價較高，一般睡一次在兩百元以上，故又稱「高檔妓女」，楊麗麗即屬於此類。

在我們調查的三百名妓女中，有一百九十八人來自農村，占百分之六十六。在一百零二位生長於城市的妓女之中，無業者八十四人，占百分之八十二。三百名妓女中，已婚者佔百分之二十九，而其中百分之九十以上是因為家庭關係惡化或破裂後才走上賣淫道路的。

年齡結構：十五到十八歲者，占百分之十八；二十五歲以下占百分之八十；百分之八十五的人在十八歲以前有過性經驗。

文化結構：文盲一百一十九人，占百分之三十七；小學一百二十人，占百分之四十；初中五十四人，暫百分之十八；高中以上六人，占百分之二。

整理完以上數據，我覺得寫一篇調查報告的資料已經完全足夠了。但我總覺得還差一點

什麼東西。到底是什麼東西呢，我又說不清楚。

我想，社會學的分析或許是很不全面的，社會學的方法和理論可以幫助我們理清妓女賣淫的社會原因，卻不能使我們深入分析和理解賣淫現象的實質。

絕對沒有生下來就是妓女的女人，也沒有天生的嫖客。一切存在都是有其背景的，這包括了妓女和嫖客。

不管怎麼說，對於妓女們的生活背景，我們依舊是一無所知的。我們道聽塗說般地獲悉了她們的一些簡歷，一些經過加工處理了的故事，我們當然可以用這些故事去寫出很長很漂亮也很感人的文章，但這樣的文章卻完全可能離她們的真實生活很遠很遠。

來婦教所調查之前，我和小周也曾蒐集了不少有關妓女問題的調查報告，或一些紀實文章，但讀這些文章，不知為什麼，我總無法獲得真實感和信任感。我想要麼是他們的調查方法不得當，要麼就是記者或作者有意的疏漏或誇張。

就在這時，我突然萌生了一個奇怪的念頭，我想做一次嫖客。我知道這念頭很邪惡也很冒險，但是這念頭一產生，我的心就咚咚直跳。

9

第二天小周給妓女們同樣帶來了一些草紙、食品、筆記本等一大堆東西，同時也給我帶來了一個消息，下禮拜二，在我們單位舉行一次性文化學術研討會，主題直奔當前熱門的賣淫問題。李所長吩咐，我和小周務必於週六以前結束調查，並於下禮拜一以前寫出調查報告。屆時以此報告出席這次研討會。

時間緊迫，我們不得不抓緊調查。

我的那個愚蠢的念頭也頓時煙消雲散。

但這一天，卻是女犯們的勞動日，女犯們被押到後山的一塊荒地上去種菜，那些曾經表現不好的女犯此時果然被罰去挑大糞。

我和小周到山上看了一下，因幹部都在場監督，我們也不便與女犯交談，就回來了。到院子裡，覺得百無聊賴，就只好去找胡醫生、陳幹等幾個守家的人閒聊、吹牛。

中午時分女犯們陸續回來了，大夥肩扛農具，唱著歌，歡歡喜喜地走進院門來。食堂為她們準備好了午飯。這次吃的是米飯，女犯們看見米飯，便歡呼雀躍著爭相去排

隊。

打得了飯的女犯們從我們面前經過時，也主動地衝我們點頭微笑，一副心滿意足的樣子。我想人失去了自由真可憐啊，難怪得裴多菲的詩裡才這麼唱道：

若為自由故，
兩者皆可拋。

吃罷午飯，女犯們便在院子裡的洗衣臺上洗衣服，完全是一幅笑語歡騰的景象。我就是在這時才真正認識林紅的，她穿著一身水紅色的薄毛絨衣，伏在洗衣臺上刷洗她的一條褲子，那樣子，極似一位普通少女的勞作。她最大的特點就是過分的性感，胸脯看上去比一般女人都高聳和豐隆，而眼睛也彷彿格外的風情。

我決定以她作為我最後的一個調查對象，因為她作為唯一沒有性病的妓女，應是具有典型意義的。

她一邊刷洗衣褲，一邊回答我的問題，每答一句之前，總要用那雙風情萬種的眼睛燎我一眼，這不由讓人怦然心動，也不由人不浮想聯翩。

她告訴我她並不是因賣淫被抓進來的，而是因為行騙。她說她家裡貧寒，很早就出來漂泊了，四海為家，曾經有過幾位男人，但她不承認她是賣那種東西的人，因生活所逼，她決定去騙幾個零用錢來花，但沒想到，上勾的對象居然是公安。

我當然不會相信她這套鬼話。我想任何人看了她那豐滿的胸脯一眼都不可能放過她。只要她願意。

使我疑惑不解的是，她為什麼沒染上性病呢？是偶然的幸運？還是果真如她所說，只行騙，不賣身？

這個問題顯然也並不重要。隨便問了些基本情況後，我便向她道謝說再見了。

小周一直跟顏如月、鍾阿鈴、葉梅、楊麗麗她們談笑。可能是小周向她們透露了我們的調查即將結束的消息，她們紛紛拿出自己的日記本請小周簽名留念。

我走過去後，她們又把本子遞給我，叫我也寫。

就在這眾多的日記本中，我突然意外的發現了一個與眾不同的日記，那就是顏如月的日記，一望而知，她的日記是那種最廉價的作業本，而不是一般的硬抄本。

打開第一頁，一首抄寫得工工整整的詩吸引了我，那是我今生今世永遠難忘的一首詩。

十七歲我不想男孩子

我要用我的精力去鑽（專）心考試
十七歲正是我拚搏的年齡
我不想男孩子
我要捲入知識匯成的大海
十七歲，我要用充實的記憶力去準備
我不想男孩子
我要高飛，我要攀登
我要走出自己的人生路
我要懂得忍奈（耐）的含義
我不能去想男孩子
我要擺脫一切苦難的重擔
我不能去想男孩子

「是妳寫的嗎？」我問顏如月。

「嗯。」她點點頭。

「妳當初的確應該好好讀書，」我說，「如果妳一直讀下來，今天肯定是個大詩人了。」

顏如月傻傻地看著我，她或許不明白我是真心誇獎呢還是刻意挖苦和譏諷。

鍾阿鈴、葉梅、楊麗麗幾個也拿出筆記本來叫我簽名。我説簽什麼名啊，我又不是明星。楊麗麗説，喂，難得人生有此一遭，簽個名留作紀念吧。我推辭不掉，只好拿過來隨意寫了幾句鼓勵的話。但我心裡卻在想，楊麗麗，什麼時候才能夠跟妳睡上一覺啊？

林紅是最後一個叫我簽名的，我正思考著該給她寫一句什麼話，她卻悄聲對我説：

「留下你的電話號碼就行了。」

我看了她一眼，她並没有避開我的目光，多年後我回想起我和林紅的種種孽緣，應該説那是最初的源頭，就正在這裡。當然當時我已經意識到我和林紅肯定有某種緣分業已建立了，但我想的還是只在於好的方面，最大的可能是一次極快活的艷遇，我没想到她會毀了我的一生。

簽完名，我們便跟周所長、陳幹、楊幹等人道別，也跟妓女們道別。

「後會有期。」

「別忘了我們。」

「回頭我給你打電話。」

我和小周回頭招招手，然後大步踏上了歸家的路程。

回首那古城堡一般的婦教所，我想我今生今世再也不希望還來重遊了。同時也在心裡默

默祈禱，希望那裡面的女犯出去後永不再回來。

眼前又展現了那條金黃色的鄉村公路，那是一條連接樂與悲，幸福與痛苦，自由與不自由的路。記得當時走在那條路上，我曾心想，所幸自己生來不是女人，更幸運自己走在走出來的路上而非走進去的路上。

第五章

結局或開始

我斜身靠在一輛豪華的大型客車上，先是看到那些高大的建築物和裝潢考究的各種櫥窗向後倒去，然後終於看到了樹、山水和一排排低矮的紅磚樓房。我知道此時我們的汽車已經開出了城市市區而進入郊區了。

說起來我所生活於其間的這個城市不算很大，稍稍走出便可見到中國農村普遍的鄉土本色。籬笆，圍牆，農舍，炊煙，牲畜，或者一些簡易的廠房，在公路兩旁一閃而過，匆匆的樣子簡直像卓別林時代的電影。

如果僅僅是首次踏上這一旅程，則沿途的風景肯定是令人賞心悅目的，那些高低起伏的山巒，或者蜿蜒曲折的水流，那些炊煙繚繞的田園村莊，或者古色古香的一街集市，於久居高樓大廈的每一個人來說，都應是格外的一種享受。但這條路，於我卻未免太過於熟悉了。這不僅不能使我獲得美的讚嘆和享受，相反的卻再次勾起了我對那段滄桑往事的回憶。哎，罷了罷了，什麼時候又走在這條老路上？

突然感到我的胃有些不舒服起來。用手按住胃部，然後閉上了眼睛，頭微微往後靠了靠。坐在我身旁的是單位上的同事小王，見我這樣子，忙問：「你不舒服嗎？是不是暈車了？」

我說：「沒什麼，胃有點不太舒服，我想一會兒就好了。」小王說：「那可能是暈車了，我這裡有暈車藥，吃幾粒怎麼樣？」我睜開眼，對小王說：「不用了，不用了，真的沒

什麼，喏，已經沒事了。」我對小王露出了個笑容。

扭頭看窗外，此時已是十月初冬天氣，山野裡處處是爛漫的紅葉，而田間卻顯出了收割後的荒蕪與滄涼。這個季節總容易給人染上一種莫名的愁緒。四年前同樣是在這個季節踏上這條道路，我清楚地記得第一次和小周走在公路上的時候，天空一樣有著若暗若明的冷冷的冬陽。當然那時候我對生活還充滿著熱情和希望，在二十五年的人生歷程中，除了剛剛離過一次婚外，還未遭受任何較大的挫折和打擊。而當時我無論如何也想像不到，當我走上這條風景秀麗如詩如畫的鄉村公路，我苦難悲劇的人生就開始了……

汽車在一個小鎮上停下來，上來幾位乘客。我眼前的這個小鎮就是頭舖，再過去就是二舖了。我真想像不到今生今世我還會再次光臨這個地方，這是我的災難之地，是我永遠也不想回憶的地方。

多少年來我一直在想，人生究竟是怎麼回事？是偶然的遭遇？還是必然的宿命？我們所經歷的一切，幸福也罷，快樂也罷，或者痛苦，或者創傷，是上天注定的呢？還是我們不小心選擇的結果？時至今日，對於這些問題，我還是無法明白。這些年來，每當想起和林紅的那段遭遇，便感到傷痛、悲傷和絶望。那是不堪回首的昨天，那也是我不幸和恥辱的昨天。好在這一切都過去了，傷痛終成歷史。歲月流逝，時光飛馳，在漫漫的日子裡我學會了怎樣夾起尾巴做人，或像狗一樣，慢慢舔癒自己的傷口。

任何回憶都會予人帶來傷感，尤其類似像我這樣有著不幸經歷的人。我強迫自己閉上眼睛，佯裝著睡覺的樣子，盡可能地讓自己不要再沉湎於往事。畢竟一切都已過去。我現在總算是一位在學術界還有一些聲望和名氣的學者。這才是我的現實，昨天就讓它像一場惡夢過去罷。而現在我正要到另一個城市去出席一個國際性的學術研討會，我將在會上面對來自世界各地的專家、學者和教授們發言。那麼好吧，讓我不要再糾纏那過去的傷痛吧。

如此一想，我的內心恢復了自信，我用手理了理頭髮，重新抬起頭來望望窗外那熟悉的風光景物。青山綿延無際，山還是那些山，石頭還是那些石頭，江山依舊在，而我已經不再是四年前的我。是的，一切都過去了，俱往矣，我想。

「過去了？」小王問我。

「過去了。」我說。

「真的没事了？」

「如果還有什麼事的話，那就是我嫌這車開得太慢了一點。」

「那好，那我就不管你了。」說完他閉起眼睛假寐。

但這時突然有人拍了拍我的肩膀，說：

「喂，去哪裡？」

我抬頭一看，不由得大吃一驚。

「哎，怎麼會是你呢？」隨即我又補了一句：「你還在那裡？回家？」

「嗯哼，」那人依舊笑容可掬地哼了一聲。我立即記起了他是婦教所裡的一名管教幹部，在那次調查中他給我們留下了很深的印象，他為人隨和，性格開朗，但卻有過三次失敗的婚姻，而且三次婚姻的對象都是他所管教的女犯，這是我當時最為困惑不解的。沒想到事過境遷，現在我卻連他的姓名也叫不出來了。

他顯然也忘了我的名字。「還在原單位嗎？」他又問我。他是站著的，可能是在頭鋪臨時搭的車。我起身讓座，他擺手謝絕了，「我馬上就到站了。」他說。

我告訴他我的單位沒變。於是我們攀談起來，我簡單的詢問他所裡目前的情況，他一一告訴我了。突然他問道：

「林紅現在怎麼樣？你没跟她結婚吧？」

他這一問使我立即紅了臉。我說你怎麼知道我和林紅的事？他說你們單位後來不是派人到我們那裡瞭解情況嗎？他們說你睡了人家又把人家踢開了。

聽他這麼一說，我的臉紅得更厲害了，我已無心再與他攀談下去。心裡巴望著他早一點到站，早一點下車。因為我的身邊坐著我的同事小王，儘管我的那段經歷基本上他也知道，但我不想在這種場合讓他獲知更多的細節。

幸好恰在此時二鋪已到，車一停穩，那人就匆匆跟我道別。我看見他奔下車去，手裡提

著一大袋東西，我想那準又是新來的妓女託他買這買那，甚至包括月經帶一類的東西。

我突然想起那人姓陳，在婦教所裡大夥都叫他陳幹。我對著跳下汽車、站在路旁的他喊了一聲：

「哎，陳幹，代我問周所長和楊幹他們好噢。」

「他們都不在所裡了。」他大聲地說。同時也向我揮手道別：「得空過來玩噢。」

我剛想問他周所長和楊幹調往何處？情況如何？此時車門已經關上，車子又重新啟動上路，迅速從他身邊掠過。我如釋重負，心裡鬆了一口氣，但情緒一時還輕鬆不起來。

哦，昨天，我他媽的那該死的昨天啊，我那惡夢一般的昨天啊，我怎麼會忘記又怎麼能忘記呢？歲月如流，逝者如斯，但匆匆的時間又怎能洗刷去那些烙在我心靈上的傷痕呢？

一條金黃色的公路在眼前一晃而過，那正是通向婦教所的公路。路兩旁的山嵐和田野沉寂而蕭條，一如四年前一樣空空蕩蕩。汽車加快了速度，使人感覺著身體的懸浮和飄搖，我的心也突然飄浮起來，彷彿置身夢裡，不知道自己究竟是怎樣的一種存在……

關於本書作者

潘年英，侗族，一九六三年生於貴州天柱盤杠村。在故鄉生活十七年。一九八〇年考入貴州民族學院，攻讀漢語言文學專業，一九八四年畢業，分配至貴州省社會科學院社會學所工作，從事民族學和人類學研究。一九九七年十月調入福建泉州黎明大學從教。二〇〇三年七月到湖南科技大學任教。現為湖南科技大學人文學院教授，湖南科技大學文學與人類學研究所所長。

大學期間開始發表文學作品。主要創作小說和散文，同時發表過少量詩歌。作品散見於《上海文學》、《民族文學》、《青年文學》、《山花》、《花溪》、《天涯》等刊。

一九九三年加入中國作家協會，一九九四年當選為貴州省作協理事，一九九五年至今，任中國侗族文學學會副會長，二〇〇五年任中國文學人類學學會副會長。

一九九四年獲中國作協莊重文文學獎。一九九六年獲貴州省政府茅臺文學獎。部分作品被譯成法文和英文。

主要結集出版的著作有：

《我的雪天》（貴州人民出版社一九九三）
《民族、民俗、民間》（貴州民族出版社一九九四）
《百年高坡——黔中苗族的真實生活》（貴州人民出版社一九九七）
《扶貧手記》（上海文藝出版社一九九七）
《寂寞銀河》（貴州民族出版社一九九八）
《邊地行跡》（貴州人民出版社一九九九）
《故鄉信劄》（上海文藝出版社二〇〇〇）
《木樓人家》（上海文藝出版社二〇〇〇）
《傷心籬笆》（上海文藝出版社二〇〇〇）
《文化與圖像》（貴州人民出版社二〇〇一）
《黔東南山寨的原始圖像》（上海文化出版社二〇〇五）
《雷公山下的苗家》（上海文化出版社二〇〇五）
《保衛傳統》（貴州民族出版社二〇〇五）
《在田野中自覺》（民族出版社二〇〇五）
《頓悟成篇》（湖南人民出版社二〇〇六）

《西南田野筆記》（東方出版中心二〇〇七）
《音樂天堂》（廣西人民出版社二〇〇七）
《昨日遺書》（台北爾雅出版社二〇〇七）

爾雅小說

・長篇小說

・中篇小說

總是巴黎	西　零著

·短篇小說

黑面慶仔	洪醒夫著
田莊人	洪醒夫著
單身溫度	王鼎鈞著
斯人	席慕萱著
野棉花	段彩華著
東方寓言	東方白著
幻想的男子	隱　地著
錢塘江畔	琦　君著
菁姐	琦　君著
臺北的女人	郭良蕙著
臺北人	白先勇著
紐約客	白先勇著
城南舊事	林海音著
十三生肖	東方白著
良夜星光	康芸薇著
愛別離	張小鳳著
海鷗	馬　森著
假期男女	曹又芳著
台北兄弟	張　毅著
浪漫與無奈	盧競琪著
家，這個牢籠	高翊峰著
今夜伊在那裡	邵　僩著
沒有臉的人	水　晶著
他是一株楓樹	桑　柔著
單人翹翹板	陳輝龍著
脫走女子	愛　亞著
旅行者	藍博洲著
愛情的花樣	喻麗清著
少女小漁	嚴歌苓著

感情事件　孫瑋芒著
我在線上找你　孫瑋芒著
夜戲　黃克全著
蟲及其他　荊棘著
百年國變　朱介凡著
小蝴蝶與半袋麵　劉枋著
策馬入林　陳雨航著

・極短篇

愛亞極短篇
鍾玲極短篇
雷驤極短篇
袁瓊瓊極短篇
羅英極短篇
喻麗清極短篇
陳克華極短篇
邵僩極短篇
陳幸蕙極短篇
隱地極短篇
衣若芬極短篇
鄒敦怜極短篇
思理極短篇
張至璋極短篇
張德寧極短篇
亮軒極短篇
愛亞極短篇（第二集）

・小說選集

爾雅極短篇　隱地編
十一個女人　蕭颯等著
現代文學小說選集①　歐陽子編
現代文學小說選集②　歐陽子編

中國現代文學選集（小說卷）　齊邦媛編
寒梅　殷張蘭熙編
洪醒夫小說獎作品集　鍾鐵民等著
希望我能有條船　蔣勳等著
光陰的故事　隱地編
中國近代小說選（一）　莊信正編
中國近代小說選（二）　莊信正編
三相逢　琦君等著
典律的生成（上）　王德威編
典律的生成（下）　王德威編
爾雅短篇小說選（一）　王德威編
爾雅短篇小說選（二）　王德威編
復活　林黛嫚編

·小說·散文合集

黃金夢　東方白著
傘上傘下　隱地著
琴心　琦君著
無槳之舟　陳少聰著
荊棘裡的南瓜　荊棘著
異鄉的微笑　荊棘著
夾著尾巴做人　王令嫻等著
夏天踮起腳尖來　阿盛編
書名篇（爾雅30年慶文選）　隱地編

國家圖書館出版品預行編目資料

昨日遺書 / 潘年英著. -- 初版. -- 臺北市
：爾雅, 民 96. 10
面； 公分. --（爾雅叢書 ；473）

ISBN 978-957-639-451-5（平裝）

857.7 96018580

爾雅題字：王北岳　爾雅篆印：張慕漁

封面設計：嚴君怡

昨日遺書（爾雅叢書之473）

作　者：潘年英
校　對：潘年英・喬　城・彭碧君
發行人：柯青華
出版・發行：爾雅出版社有限公司
臺北郵政三〇―一九〇號信箱
臺北市中正區一〇〇八二
廈門街一一三巷三十三之一號一樓
電話：二三六五四〇三六　傳真：二三六五七〇四七
郵政劃撥：〇一〇四九二五―一
網址：http://elitebooks.so-buy.com
E-mail: elite113@ms12.hinet.net
法律顧問：蕭雄淋律師
臺北市師大路八十六巷十五號一樓
印刷者：盈昌印刷有限公司
中和市新民街八十三號
二〇〇七（民九六）年十月二十日初版
行政院新聞局版臺業字第〇二六五號
定價250元（如有破損或裝訂錯誤請寄回本社更換）

ISBN 978-957-639-451-5

如何購買爾雅叢書

書店實施「零庫存」，各出版社的新書又書山書海，書店無法不保證斷貨，如果在書店找不到某一本你想購買的書，還有以下方法找得到你想要的書：

❶只要記得書名和作者，向書店訂購，許多書店會給你滿意的答覆。

❷如果書店的服務人員對你說「書已斷版」或「賣完了」你可以打電話到本社：*Tel: (02)2365-4036* 或 *2367-1021* 查詢。

❸以郵購方式函購，劃撥 *0104925-1* 爾雅出版社有限公司。

❹也可在網上購書，本社網址：*http://elitebooks.so-buy.com*。

❺如果你有信用卡，以傳真方式購買，極為方便，信用卡購書單，來電索取即傳，回傳請傳至 *Fax: 2365- 7047*。

❻如果一次購買五十本以上，本社請專人送到府上，且有折扣優待。

❼本社書訊「爾雅人雜誌」及書目函索即寄。